Madi

DEWI WYN WILLIAMS

Darluniau gan Niki Pilkington

atebol

Cyhoeddwyd gyntaf yng Nghymru yn 2019 gan Atebol, Adeiladau'r Fagwyr,
Llanfihangel Genau'r Glyn, Aberystwyth, Ceredigion, SY24 5AQ

www.atebol-siop.com

ISBN 978-1-912261-58-1

Dyluniwyd gan Elgan Griffiths

Golygwyd gan Adran Olygyddol Cyngor Llyfrau Cymru

Dymuna'r cyhoeddwr gydnabod cymorth ariannol Cyngor Llyfrau Cymru

Er cof am
fy rhieni Glyn a Kitty,
Lis Bach
a Noel.

Ac i bawb sydd yn dioddef o'r cyflyrau anorecsia a bwlimia.

Diolchiadau

Hoffwn ddiolch i gwmni Atebol am y comisiwn, eu cefnogaeth a'u gofal wrth gyhoeddi'r nofel. Mae fy nyled yn enfawr hefyd i Anwen Pierce am ei sylwadau craff a'i gwaith golygyddol trylwyr a manwl. A diolch i'm ffrind bore oes a'm bardd personol (!) Huw Dylan Jones am ysgrifennu'r englyn. Ac yn olaf, diolch i Niki Pilkington am roi gwledd i'r llygaid.

Madi

O ddydd i ddydd fe ddaw un – yn y drych
    A'i gwedd drist yn wawdlun,
  Llun sy'n warth, llun sy'n wrthun
  Ond y hi yw fi fy hun.

Huw Dylan Jones

neidio

Anorexia Nervosa – anhwyldeb emosiynol ac obsesiwn â cholli pwysau trwy wrthod bwyta.

Dyna lle ro'n i. Yn eistedd ar lawr y dosbarth. Coesau wedi'u croesi, breichiau wedi'u plygu. Yn gwrando'n astud ar stori. Stori gyfarwydd, yr un am y ferch brydferth, denau honno wnaeth gyfarfod tywysog, honno roedd y slipar wydr yn ffitio am ei throed fel croen selsigen, honno briododd y tywysog a byw'n hapus am weddill ei hoes mewn byd o liw a llawenydd, blodau yn yr ardd ac adar bach yn canu. Ond wrth i'r stori fynd rhagddi, roedd geiriau mud yr athro'n ymdoddi i'r pedair wal. Ro'n i'n gwrando, ond ddim yn clywed. Dychmygais fy hun yn sefyll ar ymyl dibyn ac yn edrych i lawr – reit lawr, lawr i'r gwaelodion – lledu fy mreichiau fel pe bawn wedi fy nghroeshoelio, anadlu'n ddwfn, teimlo aer oer y môr yn cosi'r ysgyfaint cyn ... cyn cau'n llygaid, rhoi un ochenaid dawel, a pharatoi. Paratoi i neidio.

'Neidia, Madi! Neidia!' sibrydodd yr awel, yn rhy eiddgar tu ôl i 'nghlust.

Neidio. Neidio a marw. Dwi'n saith oed.

yn y dechreuad

Orthorexia Nervosa yw obsesiwn am fwyta bwydydd iach.

Y sgyrsiau gorau ro'n i'n eu cael oedd y rhai â mi'n hunan.

'Be ydy'r peth cynta ti'n gofio?' gofynnais wrth eistedd ar y gwely, yn syllu ar y wal lwyd o'm blaen. Pensynnais wrth sipian diferyn o ddŵr tap, un wedi'i addurno gyda chwarter lleuad o lemwn.

'Y peth cynta?'

'Ia. Be 'di'r peth cynta'n ti'n gofio?'

'Ti'n gofyn i *mi*?'

'Dwi'n gofyn i *chdi*.'

Cnoi cil. Meddwl. Crafu pen, cyn i lifddorau'r cof agor.

'Bod yn y pram.'

'Gwisgo cap 'di gwau ar 'y mhen.'

'Diwrnod chwilboeth.'

'Anti Dora. Gwefusa coch. Dau ddaint ar goll.'

'Taid. Ogla drwg ar ei wynt.'

'Dŵr oer ar fy nhalcen ac ogla rhech.'

Saib. Dŵr oer ac ... ?

'Gweinidog ifanc. Nerfus. Ei fedydd cynta.'

Gwenais wrth gofio'r helynt a'r wynebau o'm cwmpas wedi gwrido.

'A thywyllwch. Dyna dwi'n gofio fwya. Wrth orwedd yn y groth. Mor dywyll â bol buwch. Cofio teimlo'n ofnus − ond yn gyffrous ar yr un pryd − o fod mewn lle di-liw, dieithr ... ar goll, ddim yn nabod fy nhroedfedd sgwâr. Ac eto roedd rhywbeth yn od o gyfarwydd yn y 'dieithr', yn fy anwesu fel planced.' Gwenais eto. 'Ia. Dyna dwi'n gofio fwya. Mor glir â dŵr ffynnon. Fel pe bai'n ddoe.'

Dechreuais amau'n hunan.

'Paid â rwdlian! Hynny'n amhosib. Gall neb gofio'n ôl mor bell â hynny!'

Ond roedd fy nychymyg ar dân.

'Naw mis ... bodoli mewn rhyw fath o ogof, o *sauna* gynnes, damp, glawstroffobig. Fy mhen yn pwyso 'mlaen, y dwylo'n pwyso ar y penliniau, a'r cefn wedi plygu fel pe bai beichiau'r byd eisoes ar fy ysgwyddau, neu 'mod i wedi profi rhyw drawma corfforol a ... *neu* ... seicolegol erchyll. Fel bod mewn peiriant sychu dillad, heb gwmni'r un hosan honno oedd ar goll. A hynny cyn i mi gymryd fy anal gynta.'

Cefais fy ngoglais gan y syniad o ogof, *sauna* a pheiriant sychu dillad.

'*Foetal*. Dyna be mae rhywun yn ei neud wrth gael panic atac. Mynd yn *foetal*. 'Te ddim?' gofynnais yn rhethregol, heb brofi na bod yn dyst i brofiad o'r fath. 'Neu pan ma rhywun yn disgwyl i arth ymosod.'

Roedd hwn yn osodiad od, hyd yn oed i rywun oedd yn siarad â hi ei hun!

'Gorwedd yn *foetal*. Dyna ma nhw'n ddeud 'that ti neud pan ti'n wynebu arth. Cogio bod yn farw.'

Ond ro'n i'n cogio bod yn farw a finnau ddim eto'n *fyw*. Cynigiais reswm arall am fy osgo *foetal*, un llawer mwy synhwyrol, yn fy nhyb i.

'Un fach sensitif ydw i, rhy swil i godi 'mhen a syllu ar fywyd ym myw ei lygad.'

Saib hir. Roedd y sgwrs yn dwysáu.

'Neu ella ma jest oer o'n i. Dyna mae rhywun yn neud pan ma nhw'n oer. Plygu'n ei gwman. Pan ma rhywun yn oer ... ac yn unig.'

Roeddwn yn dechrau gwneud ychydig mwy o synnwyr oherwydd dyna oedd bron â'm lladd yr wythnosau cynta yn y groth ... yr unigrwydd. A chyn belled ag ro'n i yn y cwestiwn, dim ond *un* person oedd ar fai. **Hi.** Hi, a neb arall. Pam na fyddai Hi wedi cario o leia dau, neu ddwy, ohonon ni? Dyna'r fantais fwya o fod yn un o efeilliaid – does dim rhaid dioddef ei gwmni ei hun yn y groth. Gallaf ddeall yn iawn pam bod rhai yn penderfynu aros yno, yn gwrthod symud, gorfod cael eu llusgo allan gerfydd eu traed, pennau, breichiau, achos dyw treulio'r naw mis cynta mewn carchar ddim yn ddechrau delfrydol i'r hyn mae pawb yn ei alw'n 'wyrth' ac yn 'rhyfeddod'.

'Mae hi'n edrych yn y sgan fel pe bai wedi hen ddiflasu,' meddai Anti Lis, gan geisio'i gorau glas i roi gwên ar ei hwyneb diemosiwn Hi.

Roedd hynny'n wir. Pob gair. Roeddwn wedi diflasu ar ôl dim ond ychydig fisoedd, a hynny trwy 'nhin ac allan (bron yn llythrennol!). Nid bod gen i fawr o din. Nid bryd hynny. Hwnnw'n mynd i dyfu nes ymlaen. Roedd bod mewn yn y groth fel disgwyl am fws oedd wedi torri lawr, neu orwedd ar wely tamp mewn gwesty dim seren ... a hynny yn uffern.

hi

Mageirocoffobia yw ofni coginio.
Tri mis oed – cwpwl o ddyddiau ar ôl i mi ddechrau piso – cefais fy mhryd bwyd cynta. Un gair i'w ddisgrifio. Diawledig. Hylif amniotig.

Dim ffit i gi Washi Bach. Anodd iawn disgrifio'i flas. Math o beth mae cogyddion siwdaidd, egotistaidd yn ei gyflwyno ar dost ac yn ei alw'n 'gelf'. Nid 'mod i'n *dewis* bwyta'r sglyfaeth peth – roedd o'n cael ei orfodi i mewn imi yn erbyn fy ewyllys. Weithiau, er mwyn ceisio dangos pa mor flin o'n i – ac er mwyn dial – roeddwn i'n rhoi un rhech wlyb, lipa. Do'n i ddim eto'n medru geni'r hyll heblaw gwaredu ychydig o gelloedd marw nawr ac yn y man. Proses o ailgylchu syml ac effeithiol oedd bwyta; llyncu'r hylif amnotig, ei dreulio, cyn ei hidlo trwy'r iau a'i roi o'n ôl yn yr iwterws. Bingo! Gwastraffu dim! Nid bod hylif amniotig yn *gwbl* ddi-flas. Weithiau mi roedd o'n chwerw, yn enwedig ar ôl iddi Hi fwyta garlleg neu sinsir, neu yfed can o Coke (Diet, wrth gwrs). A dyna oedd *un* rheswm imi ddechrau igian. Rheswm arall oedd ei bod Hi'n rhy ddiog i goginio, yn enwedig pan oedd Dad ddim adre, ac er iddi gael cyngor meddygol i gadw'n glir o fwyd llawn sbeisys roedd Hi'n mynnu sglaffio cyrris a oedd yn rhoi dŵr poeth iddi, a'r igian i mi.

Dyna pryd ddechreuais ofyn cwestiynau. Pa mor gyfrifol oedd Hi fel mam? Pa mor sensitif oedd Hi i'r hyn ro'n *i* eisio? A oedd ganddi Hi wirioneddol ots amdana i? A oedd Hi'n oedi am eiliad i ofyn sut o'n *i'n* teimlo, sut o'n *i'n* debygol o ddioddef wrth iddi:

– fwyta corgimychiaid, sydd yn cynnwys arsenig

– bwyta pinafal, ei hoff ffrwyth, sydd ar dop y rhestr '**NA!**'

– arllwys gwin, jin a fodca yn ddyddiol lawr y lôn goch

– ysmygu. Mi ddywedodd, *addawodd* i Dad y byddai'n rhoi'r gorau iddi am y naw mis, hyd yn oed yr un sigarét slei, olaf honno roedd Hi'n ei smygu yng ngwaelod yr ardd ar ôl iddo fynd i'w wely. A oedd Hi'n ystyried, am un eiliad, y niwed roedd Hi'n wneud i *mi*? I fêr fy esgyrn, fy asgwrn cefn, fy ymennydd? A be am:

– wisgo dillad rhy dynn?

– cysgu ar ei chefn?

– heb anghofio'r crio cyson? Yn enwedig pan oedd Hi ar ei phen ei hun, a hynny ddydd a nos. Ro'n *i'n* crio hefyd – tu fewn, yn llythrennol – er mwyn ceisio denu ei sylw, cael allan o'r twll (!) ro'n i ynddo. Roedd rheswm dilys am fy nagrau *i*, ond beth oedd ei hesgus *Hi*? Pam oedd *Hi'n* llefain y glaw? Iselder? Os felly, pam nad oedd Hi'n sylweddoli 'mod i'n *gwybod* bod y felan arni? Ro'n i'n gallu *teimlo'i* hiselder, ei phoen a'i hemosiynau bregus.

'Alla i dy glywed di ... dy deimlo di ... dy arogli di!' sgrechiais arni, yn fud. 'Pam ti'n meddwl dwi'n tisian, yn rhwbio'n llygaid, yn tynnu stumiau ciwt, yn sgyrnygu arnat fel pe bawn wedi rhwymo'n gorcyn? Dwi angen dy sylw di! Ti'n 'y *nghlywed* i? *Gwranda* arna i! *Edrycha* arna i!'

Rhwbiai ei bol yn araf, gyda rhyw edifeirwch pell yn ei llygaid.

'Be sy'n bod? Methu, ynte gwrthod, creu perthynas wyt ti?'

Yn saith mis oed ro'n i'n gallu ei chlywed, a gwrando arni, ei llais yn merwino'r clustiau bach pinc. Nid 'mod i'n gwybod be oedd Hi'n ddweud, wrth gwrs. Ac roedd hynny'n rhwystredig. Heb iaith, heb ddim. Do'n i ddim yn deall ystyr 'Dwi'n dy gasáu di! Dy gasáu di! Ti'n 'y nghlywed i?', ond mi *ro'n* i'n rhyw fudurddeall sŵn llestri ail-law yn malu'n deilchion ar lawr y gegin, sŵn traed yn ei heglu hi, a'r drws ffrynt yn cau'n glep. Roedd rhywbeth o'i le, rhywbeth ar goll, rhywbeth ddim yn iawn – yr esgid ddim cweit yn ffitio. Ac yn y groth, ro'n i'n gallu *teimlo'r* peth.

dad

Mae mêl wedi'i wneud o neithdar a chwd gwenyn. Neithdar yw bwyd y duwiau.

Arwr. Gwarchodwr. Ffrind gorau a oedd wrth ei fodd yn chwarae gemau efo fi. Merch Dad o'n i. O'r cychwyn cynta, o'r creu. Pob cyfle posib, gosodai ei ben ar ei bol Hi – hynny, wrth gwrs, ar ôl iddo orfod crefu am ei chaniatâd.

'Gad i fi wrando.'

'Na.'

'Dere mlân ...'

'Na!'

'Plis? Dim ond am gwpwl o eiliade,' cyn gosod ei ben yn ofalus ar ei botwm bol.

'Hi, *Honeybunch*,' sibrydai.

Honeybunch?! Tro cynta glywish i'r enw diddychymyg hwnnw, rhoddais un gic hegar.

'Whoa! Welest ti hynna?! Deimlest ti 'ddi?' gofynnodd iddi, cyn troi ei sylw'n ôl tuag ataf. 'Ti'n ocê mewn man'na?'

'Berffaith, diolch, Dad,' atebais yn sarhaus, gyda 'mhen rhwng fy mhengliniau ac yn anadlu trwy biben. Hynny, neu foddi! Wrth gwrs do'n i ddim yn ocê! A doedd dim yn dawelach na gwaedd o'r groth – fel gweiddi yn y gofod.

'Beth ti am neud i fi heddi, mm?'

Be'n union oedd o'n disgwyl imi wneud? Canu'r piano? Un o gonsiertos Rachmaninoff, efallai? Darn hawdd, fel y Rhif 3 yn D leiaf, efallai? Fyddai hynny'n plesio? Neu be am i mi chwythu i lawr y llinyn bogail, taro rhech wlyb arall (erbyn hynny ro'n i'n arbenigo yn y grefft) a chogio 'mod i'n chwarae trwmped allan o diwn? Hyd yn oed bryd hynny, roedd o – a Hi, y ddau ohonyn nhw – yn gofyn ac yn mynnu gormod, eu disgwyliadau'n rhy uchelgeisiol.

'Dwi'n mynd i'ch siomi rhyw ddiwrnod,' addewais.

Gêm arall Dad oedd galw fy enw i. Dim fy enw iawn i – hwnnw ddim eto wedi'i drafod na'i benderfynu – ond yr enw cynta, heblaw *Honeybunch*, a ddeuai i'w ben ar yr pryd. Enwau megis Shwgwrlwmp, Shwgwrcandi, Shwgwrgwyn, Shwgwrbrown (roedd Dad yn llawn dychymyg!), cyn rhoi proc sydyn imi gyda'i fys, a disgwyl ymateb. Ar y cychwyn ro'n i'n barod i gydchwarae. Be arall mae rhywun yn ei wneud ar brynhawn gwlyb ar ynys fechan Groth? Ond heb fysedd gwerth sôn amdanyn nhw doedd hi ddim yn hawdd rhoi proc yn ôl felly ro'n i'n defnyddio 'nhraed i roi cic neu, pan o'n i'n teimlo'n ddiog, yn defnyddio'r rhan amlycaf o 'nghorff tila, sef fy nhalcen, oherwydd roedd hwnnw'n anferth; yn wir, byddwn wedi edrych yn gartrefol iawn ar Ynys y Pasg, ymysg y cerfluniau â'u pennau mawr. Felly cic neu beniad, peniad neu gic; un o'r adegau prin hynny yn fy mywyd pan oedd gen i ddewis ... a rheolaeth.

'Whare pêl-dro'd i Gymru! 'Na beth fydd hon yn neud!' meddai Dad, mor wreiddiol ag arfer.

Ond ymhen amser, newidiodd natur a rheolau'r gêm. Fel nifer o gemau Dad. Ar ôl cyfnewid cwpwl o brociau, byddai'n newid ochr – yn bryfoclyd iawn – a disgwyl i mi fod yn ddigon twp ac ufudd i'w ddilyn. Proc bach ochr yma a phroc bach ochr draw. Ond buan iawn dechreues i ddiflasu a gwrthod chwarae'r gêm, gan roi cic fel mul o'r man gwreiddiol. Dyna pryd ro'n i'n gallu ei glywed o'n glanna chwerthin ar fy mhen.

"Drych! 'Drych!' meddai, gyda rhyw dinc o gyffro plentynnaidd yn ei lais. 'Mae hi'n ffaelu dilyn 'yn fys i! 'Sda hi'm syniad beth i'w neud!'

Roedd Hi yn gyndyn iawn i ymuno yn yr hwyl a'r sbri ond mi fyddai'n gorfodi ei hun weithiau i roi rhyw chwerthiniad tawel, fel pe bai'n benderfynol o dreio'i blesio. Ac er mwyn llenwi'r bwlch o dawelwch, byddai'n gosod ei law yn dyner ar ei braich, ei gwasgu a dweud, 'Bydd popeth yn ocê. Gei di weld …'

Dyna oedd y gorau alla fo'i wneud. Dyna oedd ei lond dwrn o gysur pan oedd ei gwydryn Hi'n hanner gwag.

Nid 'mod i'n fawr o gymorth wrth iddo geisio codi ei chalon. A bod yn gwbl onest, ro'n i'n dechrau mwynhau bod yn garreg yn ei hesgid. Ei bai Hi oedd o, am roi dau deimlad, *dau* arwydd cwbl groes imi. Yn gynta, doedd Hi ddim eisio fi; ac yn ail, doedd Hi ddim eisio 'ngholli. Roedd fy mhen yn dweud y cynta, a 'nghalon i'n gobeithio'r ail. Yr unig dro ro'n i'n teimlo arlliw o gariad ganddi oedd pan oedd Hi'n rhwbio'i bol, fel pe bai'n anwesu cath. Ac o'r diffyg cariad hwnnw daeth direidi.

Y drefn erbyn hynny oedd ymateb i'w rhwbio – rhoi arwydd iddi 'mod i'n iawn ac yn dal yn fyw. A dyna pryd ges i syniad, un creulon o dda. Yr *un* tro hwnnw, penderfynais beidio symud yr un fodfedd a gorwedd yn gwbl, gwbl lonydd fel delw. Ha! Wyddwn i ddim ei bod Hi'n gallu cyffroi cymaint! Os nad oedd bywyd ynddo i, roedd digon ynddi *Hi* wrth iddi ddechrau anadlu'n ddwfn, rhoi galwad brys i'w doctor, honno'n galw ambiwlans, golau glas yn fflachio, sŵn seiren, a lleisiau gofidus yn ymdoddi i'w gilydd. A dyna pryd wnes i wenu am y tro cynta erioed, gwên ddireidus o ddrwg. Dri mis cyn fy ngeni – un o gyfnodau hapusa fy mywyd.

Ar ôl diflasu a'r gêm brocio, cafodd Dad y syniad gwallgo o osod seinydd ar fol Mam a chwarae ei hoff recordiau. Digon yw dweud doedd Hi ddim yn rhy hapus ond roedd o'n benderfynol.

'Dyw hi byth rhy ifanc i wrando ar gerddorieth. Neith hi joio hwn.'

Er bod ei chwaeth yn amrywiol ac yn eang – o Bach i'r Beatles, o Mary Hopkin, y ferch o Bontardawe, i Guns 'N Roses – dysgais yn gynnar iawn nad yw chwaeth gerddorol pawb yr un fath. Ac er 'mod i'n hoff o glywed Johnny Cash yn ddiweddarach yn fy mywyd, doedd ei gân 'Folsom Prison Blues' ddim yr un fwya addas pan o'n i yn y groth! A buan y sylweddolais beth yr oedd ef – fel pob rhiant arall – yn ceisio'i wneud, sef gorfodi ei chwaeth arna i, ceisio mynnu beth oedd orau i mi ... yn ei dyb ef. Yr agwedd oedd, 'Ti'n blentyn i fi, a 'ma beth ti'n mynd i wrando 'no fe.'

Dwn i'm be oedd ei chwaeth gerddorol Hi, os oedd ganddi chwaeth o gwbl. Yr unig sŵn roedd Hi'n hoffi gwrando arno oedd sŵn ei llais cwynfanllyd ei hun. Roedd Hi'n siarad efo fi bob dydd, wrth nofio mewn pwll o iselder. Ac ro'n i'n wrandawr perffaith, un oedd ddim yn ei barnu na'i beirniadu, yn bennaf am fod hynny'n amhosib. Fel dyn a'i ffrind gorau – ei gi – do'n i ddim yn debygol o'i hateb yn ôl, dim ond eistedd yn llonydd, gwrando ar ei chŵyn a'i chyfaddefiad, ac ysgwyd fy nghynffon bob hyn a hyn.

Hi: Dwi ddim yn meddwl bod cael y babi 'ma'n syniad da. Pam nad ydw i'n teimlo unrhyw gariad tuag ati? A fydda i'n gallu ei charu o gwbl? Be ddylwn i neud?'

Wyth mis a hanner? Yn ffodus, fel manic dipresif, mae'n rhy hwyr i ti neud unrhyw beth. Byddi di'n fy nhrysori wrth i mi roi problemau cyson i ti am weddill dy fywyd, yn boen yn y tin o'r eiliad y bydda i'n cymryd fy anal gynta ...

... am 3.33 a.m., un bore Nadolig.

Agorwyd y llenni, daeth saeth o olau i lenwi'r tywyllwch, a llithrodd y 'rhyfeddod prin' allan i'r byd.

Nadolig Llawen. A Blynyddoedd Newydd Dda?

lwmpen

Mae 96% o giwcymber yn ddŵr ac yn cynnwys 15.54 calori.

'Aaaa!'

Roedd y sgrech yn un hir. Gorweddai ar ei chefn, ei phen ar obennydd gwyn, glân, ei choesau ar led, a'i phoen yn diferu o'i thalcen.

'Aaaa!'

Sgrech mam yw'r sgrech gynta mae rhywun yn ei chlywed – sgrech ingol o waelod ei Bod, un sy'n cychwyn perthynas oes.

'Aaaa!'

Fel merch, byddai rhywun yn meddwl bod gen i rywfaint o gydymdeimlad, ond doedd gen i yr un owns. Roeddwn yn mwynhau gwrando ar ei sgrechfeydd ac yn gwneud yn siŵr ei bod Hi'n dioddef i'r eitha o'r eiliad gynta.

'Aaaa!'

Gyda'i gwaedd yn mynd yn uwch gyda phob gwthiad, trodd i

edrych at ei gŵr am gefnogaeth. Safai hwnnw wrth ymyl y drws, ei ffôn symudol yn ei law, yn anfon neges destun. Daeth awgrym o gasineb pur i'w llygaid.

'Falla byddai'n syniad i chi afael yn llaw eich gwraig, Mr Pritchard,' awgrymodd y fydwraig yn gynnil.

'O, ie ... ie, iawn,' atebodd, gan geisio cuddio'i gywilydd, cyn pwyso botwm ar ei ffôn a chamu 'mlaen yn araf at erchwyn y gwely. Estynnodd Hi ei llaw iddo. Cyffyrddodd yntau ym mlaenau ei bysedd.

'Un gwthiad mawr arall, Mrs Pritchard. Dim ond un arall.'

'**AAAA!**' Anelwyd ei sgrech olaf at Dad. Cilwenodd yn euog.

I bawb yn y stafell, roedd hi'n bur amlwg do'n i ddim eisio dod i'r byd. Bron na allwn glywed fy hun yn gweiddi, 'Dwi'm eisio byw! Dach chi'n 'nghlywed i? Dwi ddim eisio byw!' Ond mynnodd Hi mai byw o'dd i fod. Dyna oedd ei gwendid mawr o'r cychwyn. Doedd Hi ddim yn 'y nghlywed nac yn gwrando arna i – yn fyddar i bob dymuniad.

Ar ôl penderfynu ei bod Hi wedi dioddef digon, ac ar ôl derbyn ychydig o berswâd, penderfynais lithro allan yn un lwmp pinc, gwaedlyd. Nid bod y digwyddiad heb ei helbulon oherwydd do'n i ddim eisio i'r profiad fod yn un hawdd. *Breech. Caesarian.* Profiad od, fel mynd allan o gar trwy'r to haul. Glaniais ar y ddaear yn cicio cymaint ag y gallwn i. Ac mi fyddwn wedi brathu hefyd, pe bai gen i ddannedd!

'Merch,' meddai'r fydwraig, yn falch o weld 'mod i'n iach.

Edrychodd Hi ar Dad gyda siom yn ei llygaid.

'Merch?'

Well na mwnci, meddyliais. *Pam y wyneb tin?!*

'Ac un ddel iawn ydy hi hefyd.'

Wnes i erioed ddeall sut y gall unrhyw un ddweud gyda'i law ar ei galon fod unrhyw fabi eiliadau oed yn 'ddel', yn enwedig gan fod pob un yn debycach i ddamwain erchyll, neu Winston Churchill. 'Mi fydd hi'n newid byd i chi,' ychwanegodd, gan edrych ar Dad.

Edrychodd Dad i fyw ei llygaid Hi a dweud yn araf, bwrpasol, 'Bydd. Fe fydd hi. Yn newid byd i ni. On'd bydd hi?' Trodd Hi ei phen ac edrych i ffwrdd.

A chyfrifoldeb, meddyliais. *O hyn ymlaen bydd rhaid i'r ddau fwyta'n iach, croesi'r stryd yn fwy gofalus a gwisgo gwregys diogelwch wrth barcio yn y garej!*

Ar ôl glanhau ychydig arnaf (gwaed yn bennaf!), cefais fy ngosod yn ofalus yn ei chôl. Dyna pryd edrychodd Hi'n iawn ar ei phlentyn.

'I bwy mae hi'n debyg, dwed?' gofynnodd.

I rywun sy'n mynd i ddifaru cael ei eni?

Estynnodd Dad ei law a mwytho fy mhen yn dyner, ei fysedd yn cribo 'ngwallt tywyll, trwchus. (Ro'n i'n un o'r babis rheini gafodd grib yn anrheg ben-blwydd yn flwydd oed!)

'Sa i'n siŵr. Ond ti'n fabi pert, on'd 'yt ti, *Honeybunch*?'

Fy llygaid prin wedi agor, dim daint yn fy mhen a chroen lliw sgoth llo bach. Sut allwn i fod yn 'bert'?!

Fel pob rhiant newydd, dechreuodd Dad wneud rhywbeth cwbl abswrd, sef siarad efo fi fel pe bai'n disgwyl ateb.

'Beth newn ni d'alw di, gwed?'

'Madelyn,' meddai Hi yn ddiffuant. ''Dan ni'n mynd i'w galw hi'n Madelyn.'

Madelyn?! Pa fath o enw ydy hwnnw?

'Madelyn Haf,' ychwanegodd, fel pe bai'r enw cynta ddim digon drwg. 'Ar ôl Nain.'

Ceisiais lenwi fy nghlwt – protest effeithiol pob babi – ond doedd dim ynof i'w garthu.

Gosododd Dad ei fys ar gledr fy llaw.

'Mae hi'n lwmpen, 'fyd!'

Llai nag ugain munud oed, ac ro'n i'n pwyso gormod. Ceisiais benderfynu pa enw oedd y gwaetha, '*Honeybunch*' ynte 'Lwmpen'?

'Dwi'n pwyso tua pum pwys!' gwaeddais, yn gwbl ofer.

'Deg pwys a hanner,' meddai'r fydwraig. 'Merch fawr.' A gwenodd, fel pe bai hynny'r ail newydd da o lawenydd mawr ar ddiwrnod Dolig.

Deg pwys a hanner?! Roedd hynny'n fwy na phum bag o siwgr!

'Mwy na normal, 'te,' dywedodd Dad, fel pe bai'n arbenigwr yn y maes geni babis.

'Yr hyn sy'n cael ei alw'n normal i ferch yw rhwng saith ac wyth pwys,' cadarnhaodd y fydwraig.

Pwyntiais ddau fys cyhuddgar ati Hi. 'Hon oedd y bai! Bwyta fel ceffyl menthyg am ei bod Hi'n "bwyta i ddau"!'

'Ac mi fydd hi ddau bwys yn drymach bob mis o hyn ymlaen,' ychwanegodd y fydwraig, fel Cysurwraig Job.

Dau bwys yn drymach bob mis o hyn ymlaen. Mae hynny'n golygu y bydda i'n pwyso stôn mewn deufis! Pwy fytodd y ryscs i gyd?! meddyliais.

Onid ydy hi'n ffaith gwbl hurt fod pawb eisio gwybod beth yw pwysau'r babi? Gallaf werthfawrogi'r ffaith bod ambell gwestiwn yn anorfod. Bachgen neu ferch? Be ydy'r enw? I bwy mae hi'n debyg? Ydy hi'n cysgu'r nos? Neu'r cwestiwn gwirionaf, sut fabi ydy hi? A'r ateb mwya gonest i hynny fyddai 'tebyg iawn i'r plentyn yn *The Exorcist,* gan gynnwys y chwd gwyrdd sy'n dod allan o'i cheg!' Ond be mae pawb yn wirioneddol eisio ei wybod, yn fwy na dim arall, ydy beth yw pwysau'r babi. Nid yn unig deulu (agos ac estynedig) a ffrindiau ond pobl ddieithr yn y parc, y rheini sy'n gweithio tu ôl i'r cownter yn Lidl, dyn y lorri ludw, y postmon ... PAWB! Mae'n obsesiwn cenedlaethol ers cenedlaethau. Ac os yw'r babi yr un maint â chyw eliffant mae'n cael ei lun ar dudalen flaen y papurau newydd ac yn brif eitem newyddion.

Yn y gorffennol, gallwn ddeall y diddordeb oherwydd roedd pwysau babi'n cael ei gysylltu'n uniongyrchol â'i gyflwr iechyd. Babi mawr, babi iach; babi bach, babi afiach. Ond gan fod cyfnod y Pla Du wedi digwydd dros chwe chanrif yn ôl, a bod y rhan fwya o fabis y dyddiau hyn yn cael eu geni'n holliach, credaf mai'r rheswm am yr obsesiwn yw bod pobl yn reddfol fusneslyd. Dyma'r un rheswm pam eu bod yn arafu wrth basio damwain car ar y ffordd. Yr hyn mae pobl eisio'i wybod yn y bôn yw a ydy'r sawl yn y car yn fyw neu'n farw, yn waed o'i gorun i'w sawdl, yn edrych fel drychiolaeth, yn un darn?! Yn gyffredinol, os yw pwysau'r babi'n normal (gweler y ddadl uchod!) does gan neb ddiddordeb. Ond os ydy o, neu hi, yn fawr mae pobl yn cymryd cam yn ôl mewn sioc, eu llygaid fel lleuad lawn a'r merched yn croesi eu coesau fel pe baen nhw'n teimlo, yn cydymdeimlo ac yn uniaethu â'r profiad a'r boen. Ac os yw'r babi'n ddigon mawr i fod mewn syrcas, bydd y newydd yn teithio'n gynt o lawer, o'r teulu estyngedig i'r 'ffrindiau' sy'n ymddangos o nunlle unwaith pob deg mlynedd. Mae'r newydd-ddyfodiad yn rheswm i agor y siampên a rhoi ei lun ar bob gwefan gymdeithasol fel ei fod yn cael ei weld gan bawb o bobl y byd.

'Cafodd fy ffrind Amy fabi deuddeg pwys.'

'OMG! Fydd hi'm yn medru eistedd i lawr yn iawn byth eto!'

Diddorol yw sylwi bod gwledydd yn asesu'r babi mewn dulliau gwahanol. Yn Ffrainc, maen nhw'n mesur o amgylch y pen. Yr ateb i unrhyw un sy'n meddwl gwneud hynny yw *'faire chier'* (os nad ydych yn rhugl, ewch i Gwgl!). Gan fy mod yn orfeirniadol o'm maint o'r diwrnod ges i 'ngeni, eglurais i mi fy hun fod babis, yn gyffredinol, yn fwy y dyddiau hyn a bod y diolch – neu'r *dim* diolch – yn bennaf oherwydd bod tewdra a chlefyd y siwgr ar gynnydd, a dyw babi naw pwys – yn fachgen neu'n ferch – ddim yn un anghyffredin. Ar WhatsApp, mae babi gyda bochau wics yn edrych fel bochdew yn paratoi am Armageddon.

'Mae hi'n edrych fel plentyn chwech oed,' meddai dynes ansensitif ar y stryd.

Diolch, bitsh! meddyliais.

Ond mi ro'n i'n fabi mwy o faint na'r babi arferol. A phob munud, pob awr, pob dydd, pob wythnos, ro'n i'n mynd yn fwy, yn magu pwysau, a hynny mewn cyfnod byr. A'r ffaith greulonaf oedd bod dim, dim oll, allwn i wneud am y peth.

Ac roedd bywyd babi'n fywyd unig, mor unig â bod yn y

groth. Doedd yr un o'm cyfoedion yn fodlon dweud gair wrtha i. Y rheswm pennaf am hynny oedd nad oedd ganddyn nhw, na finnau, ddim geirfa! Ein hunig ffordd o gyfathrebu oedd dyrnu cyrff ein gilydd yn galed a chrio. A'r bwyd? Does dim gwaeth bwyd na bwyd babis! Blasu fel pridd gwlyb neu uwd ugain oed. Dyna sy'n egluro pam bod babis yn chwydu cymaint, yn aml dros ei gilydd! A rhwng prydau erchyll, bu raid dioddef Dad, Hi, a phobl ddieithr yn mynnu fy siglo yn eu breichiau, fy mownsio i fyny ac i lawr fel pyped ar linynnau a 'nghusanu ar fy nhalcen, heb anghofio Modryb Elsa a arferai boeri ar ei hances cyn ei defnyddio i lanhau fy wyneb! Does neb call eisio cofio'i hun yn fabi. Byddai'r atgofion yn ddigon i yrru rhywun i'r fferm ffwndro. Unigrwydd, diflastod, rhwystredigaeth a bwyd sobor o ddi-flas a diflas – dyna oedd, ac yw, bywyd babis.

ffrind gorau

Mae dros 7,500 math o afal yn y byd. Mae 95 calori mewn un afal ond dim braster, sodiwm na cholesterol.

Chwarae gyda blociau pren amryliw, canu caneuon ailadroddllyd o gwmpas y piano, ac eistedd ar fy nhin bychan mewn tomen o dywod gyda phwced a rhaw. Dyna oedd bywyd yn yr ysgol feithrin. A bwyta sothach. Sothach llawn siwgr ac ychwanegion a oedd yn peri i mi redeg a neidio fel cath gyda mwstard ar ei thin. Ond roedd y ferch ifanc oedd yn edrych ar f'ôl yn garedig, bob amser yn awyddus – yn orawyddus ar brydiau – i wneud yn siŵr 'mod i a gweddill aelodau'r

Clwb Caca Melyn yn hapus ein byd. Carol oedd ei henw – merch siapus, bryd golau, croen esmwyth fel ifori a llond ceg o ddannedd perffaith. Sylwais yn fuan iawn ei bod hi'n rhoi mwy o sylw i mi na gweddill y plant eraill ac, fel pob plentyn call, cymerais fantais lawn ar hynny. Yr unig beth roedd rhaid i mi wneud oedd creu ceg gam, cogio crio ac mi fyddai'n rhedeg tuag ataf a'm hanwesu, fel pe bawn i'n blentyn iddi. Nid bod ni'n dau'n cyd-dynnu *bob* tro. O'r diwrnod cynta, doedd hi ddim yn fodlon i mi chwarae yn y domen dywod ar ben fy hun, a bu raid i mi lechian yno pan oedd hi allan o'r stafell, yn absennol o'i gwaith neu ar ei gwyliau blynyddol. Deallais flynyddoedd yn ddiweddarach bod ei chwaer fach, a oedd yr un pryd a gwedd â mi, wedi marw mewn damwain flynyddoedd yn gynt ... ar draeth, wedi'i chladdu dan domen dywod. Ro'n i'n hoff o Carol. Yn fwy hoff ohoni nag o'n i ohoni Hi.

Ond roedd yr unigrwydd yn dal i fy mwyta'n fyw. Nid oedd siarad â mi'n hun bellach yn bleser nac yn gysur wrth i mi ddechrau diflasu ar glywed fy llais. Y gobaith oedd cael ffrind newydd yn yr ysgol feithrin, ond doedd neb yno'n fodlon closio ataf, na finnau atyn nhw. Treuliais oriau bob dydd yn eistedd ar ben wal yn gwylio'r cymylau'n hedfan heibio neu'n dal pryfed cop a thynnu eu coesau i ffwrdd fesul un, yn araf.

Ond wrth i mi aeddfedu, do'n i ddim *eisio* ffrind, ro'n i *angen* un. Ac mae byd o wahaniaeth rhwng 'eisio' ac 'angen'. Ond do'n i ddim eisio nac angen perthynas neu gyfeillgarwch gwag – dibwrpas, gwastraff amser ac egni fyddai hynny.

Ond dyheais am *rywun*, rhywun oedd yn fy *neall*. Ro'n i angen ffrind gorau.

Mae'r rhelyw o wŷr a gwragedd, partneriaid a chariadon, yn cofio'r eiliad pan wnaethon nhw gyfarfod. Gall y cyfarfyddiad hwnnw ddigwydd mewn amrywiol lefydd, megis yn yr ysgol gynradd neu'r ysgol uwchradd, yn y coleg, yn y gwaith, yn y dafarn, ar y stryd, ar draeth dramor, neu ar fws yn Buenos Aires. Nid yn unig maen nhw'n cofio'r *union* eiliad pan mae llygaid yn edrych i lygaid a'r galon yn curo'n gyflymach, maen nhw hefyd yn gallu cofio manylion o'r cyfarfyddiad a'r rheini, gan amlaf, yn rhai digon diflas. Beth oedd ef neu hi'n wisgo, pa steil a lliw oedd y gwallt, pa mor wyn a cham oedd y dannedd blaen, beth oedd maint y clustiau a'r trwyn, y traed a'r dwylo, pa liw oedd y gwefusau, pa mor swynol oedd y llais, a pha mor gynnes, groesawgar oedd y wên?

Mae hynny'n wir am gyfarfod ffrind gorau hefyd. Dwi'n cofio'r union eiliad pan wnes i ei chyfarfod hi, fy ffrind pennaf. Canol nos ddi-gwsg ym mis Ionawr, y glaw yn pistyllio i lawr tu allan a'r gwynt yn taro'n hegar yn erbyn ffenest fy stafell wely. Safai hi tu ôl i mi, ei hadlewyrchiad yn y drych, a phan edrychais ym myw ei llygaid saethodd ias oer i lawr fy nghefn. Roedd rhywbeth unigryw ac od yn perthyn iddi, ei hedrychiad yn gynnes ac yn oer ar yr un pryd, gan ei gwneud naill ai'n ffrind agos neu'n elyn pennaf. Neu'r ddau. Teimlais ei bod yn rhan o 'mywyd o'r anadl gynta, fy mod yn ei nabod – na, yn ei *had*nabod.

Ro'n i'n bedair oed, ac o'r diwedd wedi canfod ffrind gorau, ffrind bore oes. Dechreuais siarad gyda hi bob dydd, gan rannu fy nghyfrinachau a'm breuddwydion, fy mhroblemau a'm gobeithion. Roedd hi bob amser yno i mi, yn gwmni pan o'n i'n unig ac yn ddiddanwch pan o'n i'n teimlo'n ddigalon. Gallwn ymddiried ynddi. Doedd hi'm yn cario clecs; gallwn ddweud unrhyw beth wrthi gan wybod bod fy nghyfrinachau'n gwbl saff. Doedd hi ddim yn debygol o'm siomi a 'mrifo'n rhy aml, ddim yn debygol o blannu'r gyllell yn fy nghefn. Hoffai gydchwarae â mi, a byddai'n gwrando arna i'n astud, bedair awr ar hugain y dydd. A gallwn ei rheoli; byddai'n fwy na pharod i roi ei bys yn y tân pe bawn yn dweud wrthi. Gallai fod mor berffaith, amherffaith, del, hyll, tew, tenau, talentog, didalent, uchelgeisiol, diuchelgeisiol ag o'n i *eisio* iddi fod. *Fi* oedd yn penderfynu sut ffrind fyddai hi – cas neu gyfeillgar, doniol neu annoniol, ffyddlon neu anffyddlon. Roedd o'r profiad agosa at fod yn dduw.

Doedd hi ddim yn berffaith. Do'n i ddim eisio iddi fod. Roedd hi'n hanfodol fy mod yn rhoi gwendidau iddi fel 'mod i'n gallu bod yn fwy perffaith, yn well ac yn gryfach na hi. Fel pob ffrind gorau, roedd hi'n debyg ac yn annhebyg i mi. Ond roedd hi'n bwysig ei bod hi'n cytuno â mi. Nid *bob* tro, ond y *rhelyw* o'r amser. Dyw ffrindiau gorau byth yn cytuno ar bopeth trwy'r adeg; dyna'r prif reswm pam eu bod yn ffrindiau gorau. Dealltwriaeth, cyfaddawdu – dyna yw amodau pob cyfeillgarwch.

Er mwyn rhoi iddi ei hunaniaeth a'i hannibyniaeth, bu raid i mi roi enw arbennig iddi. Pendronais am amser hir pa enw fyddai'n addas i ffrind bore oes. Doeddwn i ddim am roi enw twp iddi fel Patsh, Tidls neu Sgratsh, ac ar ôl crafu pen penderfynais ei bedyddio'n 'Llais'.

'Llais?!' gofynnodd, gydag arlliw o sarhad.

'Ia,' atebais, heb ronyn o amheuaeth. 'Hwnnw'n enw addas. Enw diddychymyg i un sy'n byw yn y dychymyg. Ti ddim yn bod, ddim yn y byd go iawn. Ti'n byw yn fy mhen, a nunlle arall.'

Geiriau creulon, ond does dim mwy gonest na dweud ar ei ben, o'r galon. A rhyw ddiwrnod ro'n i eisio bod yn rhydd, a rhan o fod yn rhydd yw gallu mynegi'n hun yn onest.

Mae gan bawb, o bob oed, ffrind fel Llais. Byddai rhai o'r farn bod cael ffrind dychmygol yn rhywbeth sy'n ymylu ar wallgofrwydd, ond dyw cael ffrind o'r fath – un sy'n amhosib i'w gyfarfod a'i gyffwrdd – ddim yn anghyffredin. Mae Cristnogion yn ystyried Crist i fod yn 'ffrind gorau' a tydyn nhw ddim yn debygol o'i gyfarfod na'i gyffwrdd, er bod rhai'n honni eu bod yn ei adnabod yn bersonol. Felly gallai neb fy nghyhuddo o fod wedi'i cholli hi. A dylid cofio un peth – pan ydych yn pwyntio bys cyhuddgar at rywun, mae tri bys yn pwyntio'n ôl atoch!

Datblygodd ein perthynas. Ar brydiau, ro'n i eisio *bod* yn Llais, ac yn eiddigeddus ohoni. Dro arall, roedd hithau eisio bod yn fi, er dwn i ddim pwy yn ei iawn bwyll fyddai'n *dewis* bod yn fi. Roeddan ni'n dwy'n gweld y byd trwy'r un sbectol ac yn syllu i'r un cyfeiriad. Ffrind gorau yw rhywun sy'n fodlon cario fy meic ar ôl i mi gael pynctiar. Ro'n i'n mynd i gael sawl pynctiar, ac fe gariodd Llais fy meic bob tro. Wel, *bron* bob tro. Weithiau roedd hi:

- yn gwrthod ufuddhau
- ddim yn dod ataf pan o'n i'n ei galw hi
- ddim yn mynd pan o'n i'n dweud wrthi
- yn siarad yn rhy uchel
- yn sibrwd yn rhy dawel
- yn cadw cyfrinachau
- yn creu problemau

– yn datrys problemau

– yn creu ofnau

– yn datrys fy ofnau

– yn dweud gormod o gelwyddau

– yn dweud gormod o wir

... ac weithiau'n cuddio siwgr yn fy sgidiau (er nad oes gen i brawf mai hi wnaeth hynny!).

Roedd Hi'n gwybod am fodolaeth Llais, wedi ein clywed ni'n siarad yn fy stafell wely cyn mynd i gysgu. Ac roedd ganddi amheuon ynglŷn â'n perthynas ni. Eiddigedd, mae'n debyg, am fod gen i ffrind agos a Hithau heb yr un ffrind yn y byd, heblaw Dad, a doedd hwnnw ddim yn ffrind iddi bob amser. A phan na chafodd Hi wahoddiad i barti pen-blwydd Llais, roedd Hi'n flin fel tincar, mor flin nes mynd â fi 'i weld rhywun'.

'Ydy hi'n ... normal?' gofynnodd, fel pe bai'n ofn yngan y gair 'normal'.

Saib, wrth i'r pediatrydd feddwl am ateb fyddai'n ei boddhau Hi. Ac er mwyn rhoi'r argraff bod y cwestiwn yn un gwreiddiol, a'i bod yn ateb y cwestiwn am y tro cynta erioed, aeth ati i wau bysedd ei dwylo trwy'i gilydd gan daro'i bodiau yn erbyn ei gilydd. Yna, ar ôl creu argraff dda, cododd ei phen.

'Mae cael ffrind o'r fath yn rhan bwysig o ddatblygiad plentyn,' oedd ateb yr arbenigwraig, un gyda chymaint o lythrennau â'r wyddor ar ôl ei henw. 'Mae creu Llais yn ffordd i Madelyn ymarfer a datblygu ei sgiliau soffistigedig, gwybyddol a chymdeithasol.'

Eisteddais o'i blaen mewn cadair ledr, gyda'm coesau byr yn siglo'n ddiamynedd uwchben carped wedi'i staenio gan goffi.

Do'n i ddim yn deall yr un gair ddywedodd hi – na Hithau, ychwaith.

'Ond ddoe mi wnaeth hi ysgwyd llaw gyda ... gyda NEB! A siarad! Ama' weithiau ei bod yn dechrau mynd o'i cho'!' eglurodd Hi, wedi llwyr anghofio 'mod i'n eistedd reit wrth ei hymyl.

'Dwi'n deall eich gofidiau ond ... rhaid gadael iddi fod yr hyn yw hi. Rhoi cyfle iddi aeddfedu, datblygu. Yr unig beth mae hi'n ei wneud yw bwydo ei dychymyg. Cwbl naturiol.'

Wedi fy magu mewn pentref di-nod, yr allwedd i allu arloesi oedd fy nychymyg.

'Naturiol?!' wfftiodd Hi, cyn mynd ymlaen i adrodd yr hanes am beth ddigwyddodd yr wythnos cynt, sef y foment, mae'n debyg, pan gyrhaeddodd ben ei thennyn.

Roeddan ni'n tri – Hi, fi a Llais – yn cerdded i gyfeiriad y car, ar ein ffordd i'r dref i wneud ychydig o fân siopa.

'Mi fydd Mrs Williams Glanrafon a'i gŵr yn dod efo ni, felly bydd rhaid i Llais eistedd yn rhywle gwahanol heddiw er mwyn neud lle iddyn nhw. Iawn?'

'Iawn,' atebais, cyn eistedd yn ufudd yn y sedd gefn. Taniodd Hithau'r injan a dechrau bacio'r car i'r stryd (gan dorri pob rheol y ffordd fawr) pan waeddais ar dop fy llais: '**STOOOOP!**'

Aeth i banic llwyr a tharo'i throed yn galed ar y brêc gan feddwl bod rhyw gar neu lorri ar fin ein bwrw, neu bod rhyw hen ŵr neu wraig ar fin mynd dan olwyn ei thractor dosbarth canol.

'Be uffar sy'n bod?!' gwaeddodd, gan regi mewn ofn.

'Llais! Bron iti ladd Llais!'

'Ble mae hi?!'

'Mae hi tu ôl i chdi,' gwaeddais, 'yn edrych os ydy'r ffordd yn glir!'

Caeodd ei llygaid a sgyrnygu wrthi'i hunan, cyn dyrnu'r llyw mewn rhwystredigaeth, taro'r corn yn ddamweiniol a thynnu sylw'r gŵr drws nesa a oedd yn chwynnu'r ardd.

'Sorri! Damwain!' ymddiheurodd, cyn troi ei sylw tuag at ei phlentyn direidus a 'gwallgof'. Bu bron iddi regi eilwaith – gair llawer gwaeth y tro hwn – rhywbeth roedd Hi'n ei wneud wrth weiddi ar Dad fel arfer, ar ôl i mi fynd i 'ngwely.

'Er mwyn y ff— nefoedd, Madi!' Rhoddodd un ochenaid drom o rwystredigaeth cyn penderfynu mai gwell oedd iddi gau ei cheg.

Ar ôl clywed ei fersiwn Hi o'r digwyddiad, gwenodd y doctor plant yn garedig.

'Digwyddiad anffodus, ond unwaith eto 'swn i ddim yn poeni'n ormodol. Wedi'r cwbl, fydd Llais ddim o gwmpas yn hir iawn eto.' Edrychodd arna i'n nawddoglyd. 'Ydw i'n iawn, Madelyn?'

Roedd fy ngwên sarhaus yn dweud cyfrolau. Yr holl flynyddoedd o addysg, yr holl arholiadau, yr holl oriau hir o waith, a doedd ganddi'r un syniad y byddai Llais o gwmpas am dros chwarter canrif, ac yn dal i gario fy meic hyd heddiw.

Ac mae hynny'n amser hir, o gofio dyw hi ddim yn bodoli.

betys

Gellir gwaredu cen gwallt trwy ferwi betys mewn dŵr a golchi'ch pen ynddo. Mae betys hefyd yn troi'ch piso yn binc.

Ar ôl ffarwelio â Carol, gosodais fy mag ysgol ar fy nghefn a gadael cartref go iawn, a hynny am saith awr bob dydd. Mae'r diwrnod cynta hwnnw yn yr ysgol gynradd wedi'i naddu ar gynfas fy nghof. Y dyddiau eithafol – y rhai gorau a'r rhai gwaetha – yw'r rhai cofiadwy, gydag ambell un yn gadael ei ôl, a'i graith. Ac roedd hwnnw'n un ohonyn nhw.

Yr arferiad oedd bod rhieni'r plant yn eu tywys i'r ysgol ar y diwrnod cynta (yr wythnos gynta, yn achos sawl un!). Cyfle i bawb – y rhieni a'r plant – fod yn ddagreuol. Yn anffodus, roedd Dad dramor ac felly Hi oedd i fod i afael yn fy llaw. Ond ar y diwrnod pwysig hwnnw yn hanes prifiant plentyn, ni chamodd dros y rhiniog. Yn hytrach, wrth imi fynd allan trwy'r drws, cydiodd yn fy ysgwyddau a'm gosod fel soldiwr o'i blaen. Syllodd arna i yn fy ngwisg newydd, sibrwd 'mod i'n edrych yn 'iawn', cyn fy ngwthio allan i'r lôn fawr, lle roedd plentyn arall â'i fam yn disgwyl amdana i'n amyneddgar.

'Awn nhw â chdi i'r ysgol. 'Sgen i'm amser.'

Efallai mai dychmygu ro'n i, ond credais imi sylwi ar ddeigryn yn cronni yng nghornel ei llygad. Cefnais arni i guddio'r siom, cyn camu i lawr yr ardd yn araf, fel pe bawn yn cario arch babi.

'Bydd yn ferch dda.'

Ddywedodd hi hynny? Neu a oedd y dychymyg yn chwarae triciau oherwydd dyna ro'n i'n *dymuno* ei glywed; dyna fyddai'n cael ei ddweud gan fam dda wrth ei hunig blentyn ar ei ddiwrnod cynta yn yr ysgol ... mewn byd perffaith.

Trist, meddyliais. *Fydd Hi byth wedi profi gollwng fy llaw fach tu allan i gatiau'r ysgol, fy rhybuddio ynglŷn â sut i groesi'r lôn yn saff, fy ngweld yn cario fy mag newydd ar hyd yr iard cyn oedi wrth y drws mawr a throi i godi llaw arni.*

Wrth gât yr ysgol, cafodd pob un o'r plant eraill gwtsh cynnes gan eu mamau a'u tadau. Edrychais ar y llu o bobl ddieithr o 'nghwmpas. Roedd eu sŵn yn fyddarol a'r dorf yn gorlifo gydag emosiwn. Rhai'n chwerthin, rhai'n crio – y plant a'r rhieni – a rhai wedi rhedeg nerth eu traed trwy'r gatiau haearn yn eiddgar i gael addysg, eraill yn cael eu tynnu trwyddyn nhw wrth iddyn nhw geisio dal eu gafael mewn trowsus neu sgert. Rhoddodd un plentyn (Billy White, â'i drwyn bob amser yn rhedeg), gic hegar i'r prifathro yn ei goes wrth i hwnnw geisio'i ryddhau o afael ei fam, gan gychwyn gyrfa academaidd ar y droed – neu'r goes! – anghywir.

Sefais yno, wedi fy hoelio i'r fan. Doedd unlle'n fwy unig na bod yng nghanol pobl y bore hwnnw. Ond torrwyd ar draws y synau gan lais yn galw, 'Madelyn Pritchard?'

Edrychais i fyny. Am eiliad, nid oeddwn yn gallu gweld ei hwyneb yn glir oherwydd roedd haul bore Medi y tu ôl iddi. Gwyrais fy mhen i'w chysgod.

'Ty'd efo fi.' Roedd ei gwên bron mor lydan ag un Carol. Gafaelodd yn fy llaw a'm harwain trwy'r iard i gyfeiriad y brif fynedfa. Rhaid mai hon oedd yr athrawes roedd Dad wedi sôn amdani. Dynes efo enw od, enw oedd yn fy ngwneud yn nerfus, un ro'n i wedi bod yn ei ymarfer ers rhai dyddiau rhag ofn imi ei ynganu'n anghywir. Hon oedd Mrs HAWSE.

'Nid Mrs *HORSE*, Madi. HAWSE. Cofia di 'nny.' Gwenodd Dad, cyn piffian chwerthin.

Am nosweithiau lawer ro'n i wedi syrthio i gysgu'n ailadrodd ei henw drosodd a throsodd a throsodd, gan ddychmygu ar yr un pryd dynes efo wyneb hir, ffrwyn am ei phen a phedolau am ei thraed. Ond wyneb crwn, prydferth oedd gan Mrs Hawse a sgidiau du, drud, sodlau uchel am ei thraed, rhai oedd yn amlwg yn cael eu parchu a'u gwerthfawrogi.

Buan y sylweddolais mai pobl ddauwynebog yw athrawon – actorion eilradd, yn wên o glust i glust o flaen y rhieni ond yn ddilynwyr y Diafol ar ôl camu trwy ddrysau caeedig y dosbarth. A doedd Mrs Horse ... HAWSE ... ddim gwahanol. Daeth hynny i'r amlwg yn y stafell fwyta amser cinio wrth iddi wneud yn siŵr fod pawb yn glanhau ei blât yn berffaith lân, fel 'plant bach da', gan adael dim ond y patrwm.

'Rhaid bwyta'r betys, Madelyn, dim lol!' meddai, gan bwyntio at gornel fy mhlât. Ystyriais am ennyd egluro iddi fod gas gen i fetys, hynny ers imi weld cerflun o Grist ar y groes yn y capel, ei waed lliw betys yn diferu o gledrau ei ddwylo. Ers y Sul hwnnw, dyna oedd betys – gwaed wedi sychu a cheulo. Edrychais i fyny arni gyda'm llygaid llo bach, yn ceisio ennyn ei chydymdeimlad, ond doedd hi ddim am ildio modfedd nes 'mod i wedi rhoi'r sglyfaeth peth yn fy ngheg.

'*Bob* tamed!' mynnodd.

A dyna wnes i. Plannu'r fforc yn araf i'r fetysen, ei chodi'n anfoddog oddi ar fy mhlât, syllu arni am rai eiliadau cyn ei rhoi'n fy ngheg a'i chnoi'n araf ... araf ... araf. Ond wrth i'w blas dreiddio i mewn i fy nhafod, taniwyd rhyw gynnwrf yn fy stumog a llifodd cynnwys hwnnw i fyny fel lafa o losgfynydd, gan dorri pob rheol disgyrchiant, a chwydais dros y ddau beth mwya cysegredig, sef ei dwy esgid ddu ... ddrud ... sodlau uchel. Stopiodd y cloc ar y wal. Daeth tawelwch llethol dros y ffreutur. Rhoddodd pawb y gorau i fwyta. Edrychais i lawr a chwilio am dwll i neidio i mewn iddo, ond doedd unlle i guddio. Trodd wyneb caredig Mrs Hawse yn gymysgedd o sioc a chynddaredd. Beth oedd hi'n mynd i'w ddweud? Beth *allai* ddweud, gan mai ei bai *hi*, mewn gwirionedd, oedd y cyfan? *Hi* fynnodd 'mod i'n bwyta bwyd ro'n i'n ei gasáu. Ni ddywedodd yr un gair o'i phen – dim un gair yn *glir* beth bynnag – ond credaf imi glywed awgrym o reg dan ei gwynt (gair sy'n odli gyda 'lwc'). Edrychodd i lawr ar ei sgidiau a oedd wedi'u gorchuddio gan foron a thomato (a oedd yn ddirgelwch oherwydd do'n i ddim wedi bwyta moron na thomato, felly sut ... ?) cyn diflannu'n gyflym i'r tŷ bach i lanhau ei Jimmy Choos (neu beth bynnag o'n nhw). Doedd y profiad ddim yn un pleserus i'r un ohonom, ond roedd dwy ochr i'r geiniog, a daeth rhyw dda o'r drwg. Y newydd drwg oedd fy mod wedi gwneud gelyn am y saith mlynedd ganlynol; y newydd da oedd chefais i ddim fy ngorfodi i fwyta yr un fetysen arall tra o'n i yno.

Yn dilyn y profiad, ro'n i'n blentyn nerfus, yn enwedig o gwmpas y bwrdd cinio. Roedd bwyta yn hunllef beunyddiol. Roedd rhywbeth elfennol, fel rhoi taten ar blât, yn dasg anodd, a hwnnw oedd yr ail brofiad hunllefus. Bob dydd, ar ganol y bwrdd, roedd powlen o datws a'r drefn oedd estyn un neu ddwy gyda llwy fawr – llwy fawr grynedig yn fy achos i. Un tro, wrth imi symud y daten o'r bowlen i'r plât, disgynnodd oddi ar y llwy, bownsio deirgwaith ar y bwrdd cyn glanio yng nghanol grefi y bachgen nesa ataf gan chwistrellu'r hylif brown dros ei grys gwyn, glân.

Dechreuodd grio wrth i Mrs Horse garlamu draw gyda'i hwyneb hir a rhoi pryd iawn o dafod imi – cyfle perffaith iddi wyntyllu ei chasineb tuag ata i am Helynt y Betys. Roedd hwn fel Watergate yr Arlywydd Nixon – hwn oedd fy Betysgate.

Am saith mlynedd, ro'n i'n casáu cinio ysgol. Doedd y prifathro ddim yn fodlon i ni ddod â'n pecynnau bwyd personol ac felly roedd rhaid bwyta'r hyn oedd yn cael ei gynnig, neu lwgu. Ond penderfynais yn fuan iawn nad plât oedd o'm blaen ond yn hytrach cafn, a fi oedd yr hwch oedd yn bwyta ohono. Ceisiais awgrymu'n gynnil y dylid cynnig bwydydd iach – llai o rwts fel sglodion a selsig a grefi – ond doedd neb yn fodlon gwrando.

'Ie? Be ti eisio?' meddai'r wraig trwyn smwt yn ddiamynedd, a'r menyg rwber am ei dwylo.

'Pysgodyn a salad, plis.'

Arferai edrych arna i fel pe bai gen i ddau ben. Fi oedd yr unig un oedd yn gofyn am salad.

'Rhywbeth arall? Pwdin afal?' holodd yn swrth.

'Efo 'chydig o gwstard ar ei ben. Diolch.'

Yn anffodus, cafodd llwyaid o gwstard ei arllwys yn flêr … ar ben y penfras.

'Ga i bysgodyn arall, plis?' gofynnais yn gwrtais a rhesymol.

'Pam?' meddai'r wraig trwyn smwt, gan edrych yn ddi-hid ar ei chamgymeriad.

'Achos tydw i ddim eisio cwstard ar ben fy sgodyn.'

'I'r un lle mae o'n mynd, 'te? Dy geg di!' atebodd yn siarp, cyn rhawio sglodion ar blât y cwsmer nesa.

Teimlais fy mod i'n ôl yn Oes Fictoria ac yn un o gymeriadau

Charles Dickens yn *Oliver Twist*. A dwn i ddim beth fydden nhw wedi'i wneud pe bai Syr Walter Raleigh heb ddod â thatws o America. Heb datws, heb sglodion; heb sglodion, heb ddim! Roedd y fwydlen ddyddiol yn hynod (!) amrywiol, gan gynnig dewis eang o:

– sglodion a physgodyn (wedi'u lapio mewn modfedd o saim)

– sglodion a byrger (yn nofio mewn saim)

– sglodion a ham (wedi'u hamgylchynu gan fraster)

– sglodion ac wy (o'r badell ffrio)

– sglodion a pitsa (tew a sych)

– sglodion a ffa pob (di-flas a diflas)

– sglodion a phwdin reis

– sglodion a chachu ci (labrador, nid chihuahua ...) ond falle mai celwydd oedd y ddau ddewis olaf!

Gan fod gas gen i sglodion, a gan 'mod i'n benderfynol o fod mor lletchwith â phosib, roeddwn yn mynnu bod Mrs Trwyn Smwt yn estyn y fowlen datws stwnsh o dan y cownter yn arbennig i mi, gan fod pawb arall yn bwyta'r sglodion! Nid bod y tatws stwnsh yn fwy blasus na'r sglodion seimllyd, gan eu bod yn edrych ac yn blasu fel lwmp o glai. (Roedd gen i hyd yn oed lysenw ar y tatws stwnsh, sef *playdoh*!) Ond nid y tatws oedd y pethau gwaetha a daflwyd ar fy mhlât. Beth sy'n waeth na darganfod gewin yn y letys neu flewyn gwallt dan y tomato? Cefais reswm da un tro i wrthod bwyta cinio'r ysgol am wythnos gyfan pan gafodd hanner o'r disgyblion wenwyn bwyd ar ôl sglaffio'r *lasagne*, a hwnnw heb ei ddadmer yn iawn.

Yn dilyn hynny, penderfynais fod rhaid imi wneud rhywbeth ynglŷn â'r miri bwyta. Dechreuais roi cynnwys fy mhlât mewn cwdyn plastig, yna ei guddio yn fy mag ysgol a'i daflu i'r bin ar ôl cyrraedd adre.

Dyna pryd y dechreuodd y twyll.

unig blentyn, plentyn unig

Mae un can o Coke 330 mililitr yn cynnwys 7 llwyaid o siwgr a 139 calori. Mae can o Diet Coke yn cynnwys 0 siwgr a 0 calori.
Pethau dieithr a phrin oedd ffrindiau yn yr ysgol gynradd ac, yn ddiweddarach, yn yr ysgol uwchradd. Do'n i ddim angen ffrind – roedd gen i Llais – felly pam mynd ati i geisio creu cyfeillgarwch gwag, dibwrpas? Os oedd gen i unrhyw fath o ffrind 'normal', cig a gwaed, Non oedd honno. Merch dawel, a'n dwy wedi ein huno gan ein casineb at fwyd. Roeddan ni'n ymfalchïo'n dawel fach ein bod yn byw ar yr ymylon, yn mynnu eistedd gyda'n gilydd yng nghornel y dosbarth ac yn sefyll gyda'n gilydd yng nghornel yr iard. Dwy wahanol; dwy oedd ddim yn dymuno bod yn rhan o'r dorf. Doeddan ni ddim yn siarad rhyw lawer â'n gilydd – perthynas hyd braich, un oedd yn ei gwneud hi'n haws cadw cyfrinachau. Digwyddais glywed yr athrawon yn chwerthin ymysg ei gilydd wrth gyfeirio atom fel 'Miss Mud' a 'Miss Byddar'. O edrych yn ôl, roedd hwnnw'n ymddygiad creulon, plentynnaidd ac amhroffesiynol. Ro'n i'n eu casáu. Pa hawl oedd ganddyn nhw i chwerthin ar ein pennau a'n cymryd yn giâm? Mi fyddai'n fyd od a thrist pe bai pawb yr un peth. Dylian nhw fod wedi ymfalchïo yn y 'gwahanol', yn dathlu'r unigryw. Ac mi ro'n i'n unigryw.

Unig blentyn, plentyn unig, medden nhw (pwy bynnag y'n 'nhw'!) ond do'n i ddim yn unig bellach. Roedd Llais yno imi pan oeddwn ei hangen. Ymddangosai'n aml pan o'n i'n sefyll yn noeth o flaen y drych hir yn fy stafell wely, arferiad a ddaeth yn un cyson ... dyddiol ... pob cyfle posib. A dyna pryd byddai Llais yn sibrwd yn fy nghlust, 'Prin allan o dy glwt ac yn edrych i'r drych.'

'Nid edrych. Syllu. Dwi'n cerdded *i'r* bathrwm ac yn syllu i'r drych; dwi'n sefyll *yn* y bathrwm ac yn syllu i'r drych; dwi'n cerdded *o'r* bathrwm ac yn syllu i'r drych.'

'Pam wyt ti'n neud hynny?' gofynnodd Llais.

Oedais. Doedd gen i ddim syniad; ro'n i'n rhy ifanc i ddadansoddi'r hyn ro'n i'n ei wneud, neu *ddim* yn ei wneud.

Cadarnhau 'mod i'r person o'n i eisio bod, efallai? meddyliais. *Ia. Dyna dwi'n wneud.*

Doeddwn i ddim yn disgwyl iddi Hi sylwi ar fy ymddygiad. Yn wir, Hi fyddai'r olaf i gymryd unrhyw ddiddordeb yn ei phlentyn. Ond cefais fy siomi.

'Wyt ti'di sylwi be ma hi'n neud?' gofynnodd i Dad, reit o 'mlaen, fel pe bawn yn anweledig a byddar. 'Syllu arni'i hun trwy'r adeg.'

Edrychodd Dad arna i. 'Ei hoed hi. Ontefe, *Honeybunch*?'

'Yn y drych, ffenestri siopau, ffenestri ceir, pyllau dŵr,' ychwanegodd. 'Edrych arni'i hun yn y badell ffrio ddoe!'

Ac mi roedd Hi'n llygaid ei lle. Ro'n i fel pe bawn yn ceisio chwilio am yr hyn oedd o'i le arna i, a bob amser yn ei ffeindio.

''Dan ni'n magu blydi *narcissist*!' sibrydodd, gyda chywilydd. Nid bod rhaid iddi sibrwd y gair *narcissist*, a minnau ddim eto'n gwybod ei ystyr.

'O, jest gad hi fod!' atebodd Dad, gan wenu'n gynnil arna i.

A dyna wnaethon nhw. Gadael imi fod.

Fy stafell wely oedd ein lloches (fi a Llais) rhag y byd mawr tu allan. Yno, roeddan ni'n gallu rhoi'r byd yn ei le, byw ein breuddwydion, a chadw cyfrinachau. Y fan honno oedd canol llonydd ac angor ein byd bach ni. Yn y fan honno hefyd roeddan ni'n dwy'n teimlo'n saff, ac wrth ein boddau'n chwarae gemau. Cadw diflastod draw oedd eu prif bwrpas – hynny, a phrocio'r cydwybod. Arferai Llais osod y drych o 'mlaen bob dydd, weithiau dan ganu'n bryfoclyd yn Saesneg, iaith ro'n i bellach yn ei deall a'i hymarfer:

When you get what you want in the struggle for self
And the world makes you queen for the day,
Then go to the mirror and look at yourself
And see what the girl has to say.

Syllais yn llonydd i'r drych. Llygaid yn edrych ar lygaid. Gosodais fy mys ar fy adlewyrchiad cyn ei symud yn araf ar hyd fy nghorff. Boch ... gên ... ysgwyddau ... breichiau ... stumog ... cluniau ... a'r coesau. Am ryw reswm, roedd fy llygaid bob amser yn aros ar y coesau a'r cluniau. Dwy goes fel boncyffion a dwy glun yn gartref i fraster. Llyncais fy mhoer yn galed. Er fy mod yn dewis chwarae'r gêm, ro'n i'n casáu'r drych oherwydd doedd dim yn fwy gonest na'r darn gwydr hwnnw. Archwilais fy nghorff o 'nghorun i'm sawdl. Casáu fy wyneb crwn, casáu fy nghorff trwm. Ac yn fwy na dim, ro'n i'n casáu'n hunan am wastraffu fy amser yn syllu arnaf fi'n hun. Fi. Hyll. Ddi-siâp. Amherffaith a —

'**TEW**,' ychwanegodd Llais, yn greulon o onest.

Oedi. Ailddadansoddi.

'A thew,' cytunais.

Roeddwn i'n wyth oed. Ac ar ddeiet.

Blog

Mae llyfu stamp yn llosgi 5.9 calori, a llyfu amlen yn llosgi 3.5 calori. Mae 14.5 calori mewn glud stamp mawr.

Fel gŵr busnes, roedd Dad yn dad absennol, ei waith yn ei hudo dramor am sawl wythnos o'r flwyddyn. Golygai hynny fy mod i'n gorfod byw yn ei chysgod Hi – Hi, niwrotig, baranoiaidd. A phan mae dwy wahanol yn byw dan yr un to y peth gorau, a'r callaf, i'w wneud yw dod i ryw ddealltwriaeth fel bo'r un ohonon ni ddim yn sathru ar draed y naill a'r llall. Gosod ffiniau, osgoi ffrae. Ni fu unrhyw 'gyfarfod' swyddogol. Doedd dim angen trafod y mater. Roedd y ddealltwriaeth yn un reddfol, fel un rhwng rhiant a phlentyn. Y drefn naturiol oedd sgwrsio gyda'n gilydd dim ond pan oedd hynny'n rheidrwydd, a phan oedd anfon colomen neu gynnau twmpathau tân yn anymarferol. Fy milltir sgwâr oedd fy stafell wely, tra eisteddai Hithau yn ei chadair siglo ger y ffenest, yn gwylio'r byd yn mynd heibio gyda llygaid gwag a gwydryn llawn. Dyna sut cafodd Hi'r llysenw 'Geranium' gan ei chymdogion, am ei bod hi yn y ffenest trwy'r adeg. Ac wrth i'n perthynas ni'n dwy bellhau, nesáu wnaeth ei pherthynas Hi â'r botel win. Yn ei thyb Hi, yfed alcohol oedd ei chyfrinach fawr, er 'mod i'n gwybod yn union lle roedd pob potel win a jin a fodca wedi'u cuddio. Ei hoff guddfan oedd tu ôl i'r peiriant golchi.

Ro'n i'n gwylio dynes yn dirywio'n araf o flaen fy llygaid. Holais fy hun, a Llais, yn gyson – pam oedd Hi'n ymddwyn fel hyn? Rhaid bod rhywbeth yn ei phoeni. Ond beth? *Beth* oedd yn ei phoeni? *Pwy* oedd yn ei phoeni? Y ffaith fod Dad i ffwrdd am bythefnos, dair wythnos bob hyn a hyn? Ond roedd tadau nifer o blant i ffwrdd oddi cartref am fisoedd lawer – yn y fyddin, yn y llynges – ond doedd eu mamau, hyd y gwyddwn, ddim yn arllwys potel o win gwyn rhad i lawr y lôn goch, a hynny bob dydd. Roedd cyfnodau pan o'n i'n teimlo'n euog am fod mor oeraidd tuag ati. Wedi'r cwbl, hon oedd fy mam, y sawl roddodd fywyd i mi. Ceisiais gyfathrebu er mwyn darganfod beth oedd wrth wraidd ei chyflwr, a bod yn ferch dda i'm mam ar yr un pryd. Ond ofer oedd fy ymdrechion. Doedd dim yn tycio. Ni fyddai'n yngan gair am ddyddiau, dim ond syllu trwyddaf, fel pe bawn yn ysbryd. Hoffai osod ei hun wrth y ffenest, dweud yr un gair o'i phen, a dioddef yn dawel. Roedd Hi fel pe bai'n hapus pan oedd Hi'n anhapus. Yn hynny o beth, efallai bod y ddwy ohonon ni'n debyg.

Daeth y tripiau siopa wythnosol i ben (roedd Llais yn falch o hynny!) wrth iddi dreulio mwy a mwy o'i hamser rhwng pedair wal gan wrthod – neu fethu – mynd allan. Cafodd sawl cynnig i fynd am dro.

'Wyt ti eisio mynd am —?'

'Gad fi fod,' atebodd yn syth, gan rag-weld y cwestiwn. 'Dos i dy lofft.'

'Ond —?'

'Llofft! O 'ngolwg i! Rŵan!'

Roedd cael fy ngwrthod mor ddireswm yn rhoi loes, ond cyn mynd i gysgu byddai cnoc ysgafn ar ddrws fy stafell wely a llais euog, dagreuol yn sibrwd 'Sorri' cyn i minnau ateb, 'Mae'n ocê'. Ond doedd popeth ddim *yn* ocê. Roedd byw gyda Hi fel cerdded ar wyau. Pob diwrnod yn wahanol a byth yn gwybod pwy'n union fyddai'n disgwyl amdana i i lawr grisiau. Dechreuais deimlo fel dieithryn yn fy nghartref, dieithryn unig wrth i'r cyswllt â'r byd mawr tu allan wanio a throi'n garcharor ar fy mhen, ac *yn* fy mhen, fy hun. Dyna pryd ddechreuais sgrifennu blog.

Mae gan bawb ei farn am flogio. Rhai o blaid, rhai yn erbyn. Pam trafferthu rhannu barn a meddyliau gyda phobl ddieithr? Yn enwedig rhywun fel fi, sydd ar ei gorau yn goddef pobl ac ar ei gwaetha yn eu casáu. A phwy – a faint – o'r bobl ddieithr hynny sydd eisio gwrando ar gwynfanau a phroblemau rhywun, yn enwedig rhywun cyffredin, diflas a di-werth fel fi? Ateb? Miloedd. Miloedd ar filoedd. Ac ymhen dim, blogio oedd y peth mwya cynhyrchiol ro'n i'n ei gyflawni. Datblygodd blogio i fod yn ganolbwynt fy niwrnod, yn cael blaenoriaeth dros bopeth arall, gan gynnwys bwyta. Roedd yn *rhaid* i mi flogio – cyfle i wyntyllu fy marn, fy ofnau a 'ngofidiau, a hynny heb orfod cyfathrebu wyneb yn wyneb gyda neb na symud modfedd o fy stafell wely. A gallwn ei wneud ar unrhyw awr o'r dydd a'r nos. Yn wir, canol nos oedd yr amser gorau. Teimlwn yn effro ac yn fyw pan oedd y byd yn gysglyd a marwaidd. Heblaw am arlunio, hwn oedd fy ffordd o fod yn greadigol. A doedd neb yn gallu dweud wrtha i beth i'w ddweud na beth i beidio'i ddweud. Fi oedd wrth y llyw, fi oedd yn gyrru.

Wrth i'r blogio ddatblygu, teimlais ar adegau nad oeddwn yn rheoli fy stori gan fod y stori'n fy rheoli i. Hwn oedd y cyfle i mi ddarganfod pwy'n union *o'n* i, pwy *ydw* i, a phwy *fydda* i os – a phan – y byddwn yn dewis llwybr a chyfeiriad pendant yn fy mywyd, yn gyfle i mi benderfynu ai'r ferch arbennig honno ro'n i eisio bod. Gallwn gofnodi fy meddyliau a chael pobl ddieithr a gwrthrychol i gytuno neu anghytuno â mi. Blogio oedd yn gwneud i mi feddwl yn ddwys am fy mywyd, ac yn rhoi siâp a ffurf i'r bywyd hwnnw.

O'r cychwyn, penderfynais y byddai'n rhaid cael ffiniau, fel y rhai rhyngddi Hi a minnau. Do'n i ddim am ddatgelu pob manylyn amdanaf a dinoethi fy hun o flaen pawb. Gallwn weld a deall apêl hynny – y cyffro a'r perygl yn cerdded law yn llaw. Ro'n i'n ymwybodol o'r ffaith mai yn y manylion yn aml yr oedd y gwirionedd, ac ro'n i'n benderfynol o ganfod hwnnw. Amser, ymroddiad, ymrwymiad a disgyblaeth – roedd blogio angen y rhain i gyd er mwyn sicrhau fy mod yn datblygu ac yn aeddfedu fel unigolyn. Cofnod o 'mywyd oedd y blog, cofnod a oedd yn amhosib i'w golli oherwydd roedd o'n bodoli mewn rhyw 'gwmwl' neu'i gilydd. Dyw'r cofnod ddim yn diflannu, cheith o mo'i ddwyn na'i losgi'n ulw mewn tân. Mae'r blog yno, er gwell neu ar gwaeth, am byth. Ac roedd hynny'n gyrru ias oer i lawr fy nghefn.

Cyn carthu'r meddwl, y drefn oedd bod Llais yn dweud wrtha i am sefyll o flaen y drych hir, a syllu. Syllu ar ddarlun o amherffeithrwydd, oherwydd bod yn 'berffaith' oedd bod yn denau. Ac nid Llais yn unig oedd yn dweud hynny. Roedd y byd yn sgrechian:

'Byd pobl denau ydy hwn – treia ddeall hynny!'

Doedd dim lle i bobl dew, hyll. Pob dydd, trwy'r dydd – ar y teledu, yn y sinema, rhwng cloriau llyfrau a chylchgronau, ar hysbysfyrddau dinasoedd, trefi a phentrefi – ro'n i'n cael fy mhledu'n ddidrugaredd â delweddau, pob un yn gweiddi yn fy wyneb:

– pan fydda i'n denau, mi fydda i'n gyrru car di-do, gyda'r gwynt yn cribo drwy 'ngwallt

– pan fydda i'n denau, mi fydd gen i dŷ ar lan y môr

– pan fydda i'n denau, mi fydd popeth yn lân, yn bur ac yn berffaith

– pan fydda i'n denau, mi ga i swydd dda

– pan fydda i'n denau, mi ga i gariad, a gŵr, a phlant perffaith

– pan fydda i'n denau, fydda i byth yn anhapus na digalon

– pan fydda i'n denau, mi fydda i'n ffitio'n berffaith yn fy arch.

Cerdded y strydoedd, agor tudalennau papurau newydd a chylchgronau – profiadau hunllefus. A phwy sydd eisio byw bywyd mewn hunllef? Yr unig ateb oedd dilyn y 'rheolau' a chydymffurfio. Bod yn denau. Yn denau a hapus.

yr allor

Mae 70 calori mewn 100 gram o laeth y fron. Mae'r corff yn defnyddio 20 calori i gynhyrchu 1 owns o laeth.

Gwrthododd Hi fy mwydo o'r fron. Cafodd ddewis, ond

gwrthododd. Nid bod gen i fawr o ots, na fawr o ddewis. Doedd cael dannedd mân yn brathu ei thethi ddim yn apelio ati am ryw reswm a bu raid imi fodloni ar botel. Golygai hynny bod y ddau – Hi a Dad (pan oedd o adre) – yn gallu fy mwydo. Roedd hynny'n lwcus oherwydd roedd ganddi duedd i anghofio fy mwydo a'm gadael ar lwgu. Sut allai mam anghofio bwydo'i babi? Doedd hi ddim yn llymeitian bryd hynny, felly beth oedd ei hesgus ... ei rheswm?

Efallai mai dyna gychwyn go iawn fy nghasineb at fwyd, a'r weithred o fwyta. Yn ein tŷ ni roedd prydau bwyd yn sanctaidd a'r bwrdd yn ymdebygu i allor lle roedd ein teulu bach yn cyfarfod i gydfwyta. O'r gegiad gynta o Cow & Gate (rhywbeth tebyg i sment a oedd yn blasu fel cachu ci ar ei orau a phiso cath ar ei waetha), ro'n i'n casáu bwyd. Arferwn wylio'r newyddion ar y teledu, yn eiddigeddus o'r plant bach duon oedd yn cnoi pryfed wrth ddisgwyl iddi fwrw glaw. Roeddan nhw'n llwgu – rhai, yn wir, yn marw o newyn – ond doedd neb yn eu gorfodi i eistedd o amgylch bwrdd yn ddefodol bob gyda'r nos i fwyta bwyd doeddan nhw ddim ei eisio. Bwyta? Roedd yn well gen i chwipio'n hun gyda danad poethion a gwylio'r rash yn codi. *Dyna* faint ro'n i'n caru bwyd.

Eistedd o gwmpas y bwrdd i fwyta gyda phobl – dyna oedd fy mhryder mawr. A'r bobl hynny'n cynnwys fy rhieni, yn *enwedig* fy rhieni. Ac yn enwedig Hi. Hi denau, siapus ... am ei hoed. Roedd pob sŵn o gyllell neu fforc yn taro plât yn fy atgoffa 'mod i'n llwytho calorïau i'r corff. Wrth roi'r fforc yn fy ngheg, dychmygais beth oedd y ddau'n feddwl ohona i, hyd yn oed Dad a oedd fel arfer ar ei ffôn lôn yn anfon negeseuon testun, gan lwyr anwybyddu'r ddwy ohonon ni.

'Wyt ti'n siŵr bo' ti moyn y bwyd 'na, *Honeybunch*?' gofynnodd, yn fy nychymyg byw.

Edrychais ar y ddau yn eu tro, gan deimlo'u bod yn fy ngwawdio. Teimlais yn sâl, eisio chwydu. Credais fod y ddau'n fy ngwylio'n mynd yn dew, er 'mod i'n gwybod bod ganddyn nhw bethau llawer rheitiach i'w gwneud. Ac os *oedd* y ddau'n digwydd edrych arna i wrth fwyta, ro'n i'n teimlo fel pryfyn dan feicrosgop, neu bod rhywun wedi cerdded i mewn i'r lle chwech a minnau'n eistedd ar y sedd. Byddwn yn gwrido, fy nghlustiau'n goch gan gywilydd, cyn gosod fy nghyllell a fforc yn dwt ar y bwrdd a gwrthod ailfwyta tan eu bod yn edrych y ffordd arall. Gwneud rhywbeth o'i le; dyna oedd bwyta. Roedd yn drosedd.

'Dwi eisio bwyd.'

Dyna eiriau ro'n i'n gyndyn iawn i'w dweud oherwydd byddai Hi – a oedd yn pigo'i bwyd fel dryw – yn troi ei phen, cystal â dweud: 'Ti'n hwch dew – ti *ddim* eisio bwyd!'

Ac os o'n i'n yngan y geiriau hynny ar ddamwain, yn gwbl ddifeddwl, byddwn eisio crio, rhywbeth na allwn mo'i wneud achos wedyn byddai angen eglurhad am y dagrau, a doedd y ci na'r gath na'r bwji ddim yn marw'n aml! Nid bod gynnon ni'r un anifail anwes, dim hyd yn oed bysgodyn aur. Roedd Hi'n eu casáu.

'Rhy fudr!'

Ond gan na allwn golli deigryn, ro'n i'n mynegi fy rhwystredigaeth trwy fynd yn flin fel cacwn a bod yn chwithig, yn barod iawn i golli 'nhymer ac ymddwyn fel hen ast fach wedi'i difetha. Roedd yr holl brofiadau'n cychwyn gyda 'nghasineb at fwyd, cyn i un peth arwain at y llall – cylch yn cael ei greu – ac yn gorffen gyda gwrthdaro anochel. Ymhen amser, cafodd fy mhen ei lenwi gyda theimladau atgas. Meddyliais ar un adeg fy mod yn mynd o 'nghof, ac ar y ffordd i'r fferm ffwndro. Ond ar ôl ailystyried, penderfynais do'n i ddim yn mynd yn wallgof. Yn wir, ro'n i'n gall – y byd o'm cwmpas oedd yn wallgof.

Roedd bwyta yn tŷ ni'n brofiad unigryw, ond do'n i ddim yn sylweddoli hynny ar y pryd. Dyna lle ro'n ni'n tri, yn eistedd yn yr un seddi bob tro. Gosodwyd fy nghadair i rhwng Dad a Hi gan greu rhyw fath o ffin, o 'dir neb', rhwng y ddau. Fi oedd y reffarî a fyddai'n eu gwahanu pe bai pethau'n mynd yn ffradach, neu'n hytrach pan *oedd* pethau'n mynd yn flêr. Doedd gwrthdaro byth yn bell i ffwrdd. Prin oedd y sgwrsio call, adeiladol. Bu raid bodloni ar synau cyllyll a ffyrc a llwyau'n crafu'r platiau, tra bo'r tri ohonon ni'n ciledrych yn gynnil ar ein gilydd. Pwy fyddai'n llwyddo i fyw trwy'r seibiau – dyna oedd y gêm answyddogol, a'r sawl oedd yn anfuddugol oedd yr un oedd yn torri'r tawelwch.

A Hi oedd y cynta i ddweud gair fel rheol, diolch yn bennaf i mi a oedd yn cael pleser pur o fynd dan ei chroen.

'Be ti'n neud – eu cyfri nhw?!' gofynnodd yn sarhaus, wrth i mi bwnio fy mhys fesul un ar draws fy mhlât.

Edrychais arni fel pe bai menyn ddim yn toddi'n fy ngheg.

'Rho gorau iddi! Byta dy fwyd!'

'Dwi'm eisio bwyd,' eglurais yn dawel.

'A tydw i ddim eisio gwastraffu 'mywyd yn ei baratoi, felly ti *yn* mynd i fwyta rhywfaint ohono,' atebodd, cyn troi at Dad a oedd yn ateb negeseuon ar ei ffôn symudol.

'Gras?' mynnodd.

Ni oedd yr unig deulu i'r dwyrain o'r *Bible Belt* a oedd yn dweud gras. Deallais fod y ddau wedi bod yn selog yn y capel ar un cyfnod – Dad yn flaenor, Hithau'n drysorydd – ond do'n nhw ddim wedi tywyllu'r lle ers rhai blynyddoedd.

'Diolch am ddiwrnod arall, am gartref, am iechyd, am deulu, ac am fwyd i'n cynnal ni. Yn enw ein Harglwydd Iesu Grist, Amen,' meddai'n gyflym, heb unrhyw fath o argyhoeddiad.

'Amen,' adleisiodd Hithau.

'Dyn pren, sticio cyllell yn ei ben,' ychwanegais, gan osod y gyllell yn fy nghlust.

'A-MEN!' dwrdiodd Hi, cyn cydio yn y gyllell a'i gosod yn gadarn ar y bwrdd o'm blaen.

'A-men,' efelychais. Ond doedd dim profiad gwell na chael cerydd ar ôl tynnu blewyn o'i thrwyn.

Ar ôl iddo ei orfodi ei hun i ollwng ei ffôn lôn am rai munudau, syllodd Dad ar ei blât. Symudodd Hithau ei thin yn anghyffordus ar ei chadair, yn rhag-weld storm.

'Ffowlyn,' meddai Dad yn siomedig.

'*Free range*. Cig gwyn, iach. A mae'r tatws a'r pys o'r ardd,' mynnodd Hi, gydag arlliw o euogrwydd, cyn troi ata i. 'Pwyll efo'r grefi a'r halen.'

Dyn oedd yn hoffi patrwm a threfn oedd Dad. Nid hwn oedd diwrnod y 'ffowlyn'.

'Dydd Sadwrn yw hi heddi,' pwysleisiodd yn amyneddgar.

'A gad y croen ar y plât. Dio'm yn dda iti,' ychwanegodd Hi, er mwyn ceisio osgoi ei ateb.

'Ni wastod yn ca'l stecen ar ddydd Sadwrn,' meddai, gan fynnu ei hatgoffa.

'Dim dydd Sadwrn yma. Sadwrn yma 'dan ni'n mynd i gael newid bach. Mae newid yn tsienj, meddan nhw.' Yna, edrychodd ym myw ei lygaid. 'Dyliat *ti*, o bawb, wbod hynny.'

Os oedd hynny'n abwyd, gwrthododd Dad ei lyncu.

'Halen?' gofynnodd.

'Mae o'n ddigon hallt,' atebodd Hi.

'Halen,' mynnodd, gydag arlliw o dymer yn ei lais.

Gwthiodd Hi'r pot halen tuag ato fel pe bai'n ddarn mewn gêm o wyddbwyll.

Ar ôl y pryd, awgrymodd Llais 'mod i'n blogio.

BLOG:

Pam dydy Dad a Hi ddim yn siarad yn iawn efo'i gilydd? Ydy tad a mam pawb arall yn ymddwyn fel hyn? Ydy hyn yn normal? Ac os nad ydy o'n normal, ai fi yw'r bai, ai fi yw'r rheswm am y pellter a'r oerni rhyngddyn nhw? Ydw i wedi dweud neu wneud rhywbeth o'i le? Ydy hon yn briodas gyffredin, priodas o fyw trwy'r seibiau a phasio'i gilydd fel dwy long ryfel?

'Pupur.'

Dim ond unwaith y bu raid iddo ofyn cyn i'r pot pupur ddilyn llwybr y pot halen. (Roedd Dad yn rhoi pupur ar bob un dim, heblaw bwydydd fel uwd ... wrth reswm!)

Syllodd Llais a minnau ar y ddau'n bwyta. Nid fi oedd yr unig fochyn mewn cafn. Dechreuodd Llais rochian fel mochyn yn eu clustiau, 'SOCH! SOCH! SOCH! SOCH!' Gwenais yn gynnil.

Ymdoddodd cymysgedd o seiniau gwahanol i'w gilydd: clincian cyllyll a ffyrc, llyncu dŵr, cnoi, torri gwynt, rhechu ... cyn i'r dychymyg gael ei chwalu wrth iddi Hi daro'i chyllell a fforc yn gadarn ar y bwrdd.

'Bathrwm!' cyhoeddodd, fel pe bai'n dweud bod y byd ar fin dod i ben.

Edrychodd Dad arna i. Codais fy ysgwyddau. Ro'n innau hefyd yn y niwl. Penderfynodd blannu ei dafod yn gadarn yn ei foch.

'Top y stâr. Ar y whith,' cyn gwthio'i fforc yn ei ffowlyn.

Ond roedd Hi fel ci gydag asgwrn.

'Pam na wnei di be dwi'n ofyn iti, am unwaith?'

Edrychodd arni, yn amlwg yn dal yn y niwl.

'Tap y sinc! Mae o'n dal i ollwng!'

'Ody e?'

'Yndi!'

'Ers pryd?' gofynnodd, cyn curo pen-ôl y pot pupur. 'Sdim pupur yn hwn.'

'Ers y tro diwetha imi ddweud 'that ti!'

'Sawl gwaith wy'n goffod gofyn iti brynu pupur?' dywedodd, gan geisio newid trywydd y sgwrs.

'A sawl gwaith dwi'n gorfod gofyn i ti drwsio tap sy'n diferu?!'

Oedodd Dad, cyn cynnig datrys ei phroblem.

'Ffona'r plymar.'

'I drwsio tap sy'n diferu?!'

''Na beth ma plymars yn 'i neud,' meddai, gyda gwên ffals.

'Dwi ddim am ffonio, na thalu, i blymar ddod yma i newid blydi washar!' Roedd pwyslais yn y rheg.

'Bydd e'n dala i ddiferu, 'te, yn bydd e?' atebodd, yn ddewr, hyderus.

'A tan pryd fydd hynny?' gofynnodd Hi'n sarhaus.

'Tan bydd rhywun yn neud rhywbeth. Tan bydd e'n stopo. Tan bydd pethe'n *newid*.'

Teimlais fod rhyw arwyddocâd pellach (dirgel ar y pryd) i'w bwyslais olaf.

'Mwstard?'

Bu raid i *mi* basio'r mwstard iddo.

'Diolch, *Honeybunch*.' Winciodd. Roedd Dad yn hoff iawn o wincio arna i.

Ro'n i'n amau'n gryf nad am dap yn diferu oedd eu sgwrs go iawn. Esgus oedd o, esgus iddi Hi gychwyn ffrae trwy daro chwannen gyda gordd. Codais o'r bwrdd.

'A lle ti'n meddwl *ti'n* mynd?'

'Jest gad hi fod,' meddai Dad, cyn rhoi winc arall.

'Ty'd yn ôl i fan'ma, rŵan! Ti'n 'nghlywed i? Madelyn? MADELYYYYYN?!'

Clywed, ond ddim yn gwrando. Efallai mai merch fy mam o'n i wedi'r cwbl.

madi pritardo

Mae castoreum yn cael ei ddefnyddio i greu blas fanila ac mae'n dod o din afanc.

Tynnu'n groes. Dyna mae plant yn ei wneud. Bob cyfle gawn

nhw. A do'n i ddim yn wahanol. Ddim yn hynny o beth. Ar ôl pob pryd bwyd – weithiau ar ei ganol, os oedd y ddau'n ceisio dwyn tir y naill a'r llall – ro'n i'n dengyd i fy stafell wely a chloi'r drws yn glep ar fy ôl. Yn y fan honno ro'n i'n teimlo'n saff, wedi fy ynysu o'r byd mawr tu allan, gyda dim ond fy meddyliau a 'nychymyg yn gwmni. Pedair wal, gwely, bwrdd, dwy gadair, wardrob, silffoedd o lyfrau a thedi bêr. Twt, trefnus, syml ac yn nefoedd o'i gymharu â'r anhrefn a'r dirywiad oedd yn bodoli lawr grisiau. Doedd dim croeso i neb heblaw Llais yn fy stafell. Roeddan ni'n dwy wrth ein boddau'n pori trwy gylchgronau, rhai ohonyn nhw wedi'u dwyn oddi wrthi Hi.

'Wyt ti 'di dwyn fy magasîns i eto?' oedd ei chŵyn o waelod y grisiau. 'Sut ydw i fod i ddarllen hwn rŵan? Wyt ti'n gwrando, Madelyyyyn?!' wrth i mi rwygo lluniau o fodelau o'i chylchgronau a'u glynu yn fy llyfr sgrap, hwnnw oedd wedi'i guddio mewn bocs cardbord yng nghefn y wardrob.

'Allet ti edrych fel'na,' meddai Llais.

'Ti'n meddwl hynny?'

'Pam lai? Yr unig beth sy angen iti fod ydy tenau.'

Roedd hi'n iawn. Dyna'r unig beth. Roedd pob un yn denau. Ac yn brydferth. Yn hynod o brydferth. Ond anghofiodd Llais sôn am un peth allweddol a oedd yn perthyn i Miranda Kerr, Adriana Lima a Heidi Klum ... heb anghofio Allesandra Ambrosio. Eu henwau. Enwau oedd yn simffoni i'r glust. Doedd neb o'r enw Madelyn Pritchard, dim hyd yn oed Madi, ar unrhyw restr 'Modelau Prydferthaf y Byd'.

'Falla dyliat ti newid dy enw,' awgrymodd Llais.

'I be?'

'Er mwyn iti fod yn fodel,' eglurodd, wedi camddeall fy ngwestiwn.

'Naci, i be? Ei newid i *be*, i ba *enw*?'

Oedodd, crafodd ei phen, cyn cynnig 'Madi Pritardo'.

Mm. Syniad go lew, meddyliais i mi fy hun. *Gallai fod yn llawer gwaeth ... a gwell pe bawn i'n dod o'r Eidal, neu bod Dad yn cadw pizzeria neu siop hufen iâ.*

Buan y sylweddolais mai hobi masocistaidd yn y bôn oedd casglu lluniau Allesandra a'r gweddill. Un munud roeddan nhw'n codi'r awydd a'r chwilfrydedd ynof i edrych yn berffaith, cyn llwyddo i 'ngwneud i deimlo'n hollol shit ac annigonol.

'Drycha, Llais. Dim plorod, dim ffrecl ... a dim gwên. Sut all rywun fod mor ddigalon yn edrych mor blydi ddel â hynna?!'

Pob un ohonyn nhw'n ymgorfforiad o iechyd a phurdeb. Ac weithiau – dim ond weithiau – fi oedd y ferch ar y dudalen flaen gyda'r croen llyfn, y coesau hir, y dannedd gwynion, y tin bach twt ... a'r bronnau bach perffaith. Dychmygais fy hun yn cwpanu eu bronnau yn fy nwylo. Fel dwy bêl dennis. Fel dau oren.

'Fel bronnau balerina,' disgrifiodd Llais. 'Felly os na alli di fod yn fodel, alli di fod yn falerina.'

Yn falerina enwog fel Alina Cojocaru neu Tamara Rojo?

Ymunais â'r dosbarth bale lleol. Syniad Dad. Rhywbeth i'w wneud. Rhywbeth gwahanol. Rhywbeth i 'nghael i allan o'r tŷ rhag pydru tu mewn iddo, fel Hi. Tybiais y byddai'n fy ngwneud yn llai ynysig, rhoi cyfle i mi fod yn rhan o rywbeth, er gwell neu er gwaeth. Roedd hefyd yn rhywbeth ro'n i'n gallu ei wneud, a hynny'n gymharol rwydd a greddfol. Cefais wybod yn y wers gynta fod 'corff gen ti' wrth imi sefyll gyda'm cefn at y drych (sef 'y dorf'), gosod fy nwylo ar fy nghluniau ac ysgwyd ychydig ar fy nhin a fy nhraed. Nid bod siglo fy nhin yn ôl a blaen yn teimlo'n 'naturiol' i mi, yn enwedig gan 'mod i'n orymwybodol bod pawb yn beirniadu fy nghorff eiddil a thindrwm. Byd bale oedd hwn, byd cymhleth. Y corff oedd y cynfas ac roedd hi'n bwysig bod y llun ar y cynfas hwnnw nid yn unig yn edrych yn 'iawn' ond hefyd yn edrych yn iawn mewn rhyw ffordd arbennig. Pwysau'r corff, nid y ddawn i ddawnsio, oedd yn gosod y safon. Hwnnw oedd pren mesur llwyddiant ... ac aflwyddiant.

Er hynny, mwynhad pur oedd bale, yn enwedig gan fy mod yn 'ddawnswraig naturiol'. Mêl i'r glust oedd y termau estron, rhamantus a'r symudiadau wrth iddyn nhw lifo o'r naill i'r llall i gyfeiliant piano: '*Croisé devant ... Fourth devant ... Écarté ... Effacé ... a la Seconde ... Epaule ... Fourth derrière ... Croisé derrière ...*'

Cyn i'r nefoedd droi'n uffern.

'Pan wyt ti'n barod, Madi – *Pointe!*' mynnodd meistres y bale. '*Pointe!*'

Sefais ar flaenau fy nhraed yn sigledig.

'*POINTE! POINTE!*' gwaeddodd yr athrawes yn uwch.

Roedd pob llygaid yn syllu'n feirniadol tuag ata i. Fi oedd yr orau yn y dosbarth, a gwyddwn mai dwy foch o'r un tin oedd llwyddiant ac eiddigedd. Allwn i ddim fforddio methu! Ond syrthiais yn un swp o esgyrn ar lawr. Chwarddodd y plant yn uchel cyn heidio o'm cwmpas, pob un yn pwyntio'u bysedd budr ataf a llafarganu, 'Ffatso! Ffatso! Ffatso!' drosodd a throsodd, drosodd a throsodd, drosodd a throsodd. Pwysais fy nwylo'n dynn dros fy nghlustiau gan geisio bod yn fyddar i'w hawch am waed, cyn gorwedd yn *foetal* ar y llawr didostur. Ymddangosodd wyneb caredig drwy'r niwl. Yr athrawes. Gafaelodd yn fy llaw, fy nghodi, a daeth y llafarganu i ben yn ddisymwth.

Erbyn yr ail dymor, doedd fy ngwisg bale ddim yn ffitio. Rhy fychan. Tyn o gwmpas y tin – yn ddigon naturiol a minnau, fel pob plentyn arall ar wyneb daear, yn tyfu. Ond gan mai fi, ers anffawd y *Pointe*, oedd y falerina orau yn y dosbarth, fi oedd cannwyll llygad yr athrawes a'r un, felly, oedd yn gosod y safon. A phan sylwodd fy mod yn aeddfedu, awgrymodd ei bod eisio gair bach 'preifat' ar ddiwedd y wers, rhag codi cywilydd arna i o flaen y gweddill.

Dynes sensitif, meddyliais.

Cyfaddefodd ei bod hithau – 'yn dy oed di' – wedi cael 'problem' gyda'i phwysau. Problem?! Dyna'r tro cynta i 'mhwysau gael ei ddisgrifio fel 'problem'. Roedd hi'n amlwg bod pwyso gormod yn annerbyniol ym myd bale.

'Nid 'mod i'n awgrymu dy fod ti'n colli pwysau, Madi,' meddai'n orgaredig. 'Dim ond dweud ffaith 'that ti.'

Dyna'r ddwy frawddeg a oedd yn ceryddu'n dawel, trwy'r drws cefn. Dyna sut oedd hi'n cadw ei chydwybod yn glir ac yn cysgu'r nos.

'Plentyn yn fy nosbarth yn llwgu ei hun i farwolaeth? Dim byd i'w neud efo fi!'

Credai ei bod yn ffrind i mi, ond y gwirionedd oedd mai hi, bellach, oedd fy ngelyn pennaf.

Gallwn fod wedi dyfynnu rhifau i geisio egluro ac esgusodi popeth, dweud yn union faint o'n i'n bwyso a beth oedd maint y wisg a oedd 'yn rhy fach'. Ond osgoi calon y gwirionedd fyddai hynny. Trwy gydnabod fy mod i'n rhy fawr, ro'n i'n gosod safon a thargedau personol. O safbwynt pobl eraill, ro'n i'n 'dew'. Dylwn fod wedi canfod nerth ac asgwrn cefn a dweud 'mod i'n ddawnswraig dda, y falerina orau, ond allwn i ddim oherwydd ro'n i mewn amgylchedd gwenwynig, un lle fyddai plentyn yn wynebu'r wal ddrych, yn codi ei chrys-T, dangos ei bronnau bach a gweddill y dosbarth yn ei hefelychu. Byd o gymharu a chyferbynnu, byd lle roedd cystadlu yn rheoli.

Cefais fy newis i chwarae'r prif gymeriad un Nadolig. Ro'n i'n 'berffaith i'r rhan', yn ôl y sôn. Ond daeth rhybudd gyda'r rhan.

'Paid â cholli mwy o bwysau rhag ofn i ni orfod gohirio'r noson am dy fod ti'n rhy wan i ddawnsio.'

Y *noson* oedd yn bwysig. Ond ro'n i'n gwerthfawrogi'r sylw, yn diolch amdano – dyna'r tro cynta erioed i rywun ddweud wrtha i'n anuniongyrchol, 'Ti'n iawn fel wyt ti.' Ond er y geiriau caredig, teimlais fel dweud wrth yr athrawes am gau ei cheg fawr. Am wneud hynny, byddwn yn cael fy ngheryddu a'm dieithrio o weddill y dosbarth ond mi faswn hefyd yn dechrau caru'n hun. Ro'n i wirioneddol eisio clywed beth oedd barn pobl amdana i – sut dwi'n edrych, pa mor 'ddi-siâp' ydw i, pa mor 'ddel'? Onid oedd hi'n bosib i mi fod yn hapus heb eu sylwadau caredig a'u cadarnhad o'r hyn oedd yn bur amlwg i mi? Dylwn fod wedi rhoi'r gorau i syllu ar fy nhin yn y wal ddrych a gofyn, 'Pam dwi'n gwneud hyn? Be uffar sy'n mynd ymlaen yn fy mhen i?!'

Geiriau o'i cheg – dyna i gyd o'n nhw. A rhai digon diniwed, oherwydd dyw geiriau ddim yn cael ystyr nes bod rhywun yn *rhoi* ystyr a bywyd a chyd-destun iddyn nhw. Ond roedd y geiriau rheini, a'r sylwadau, wedi nythu'n glyd yn fy isymwybod, yn ddrwg a oedd yn disgwyl cael ei ddihuno, a hynny ar adeg annisgwyl. Un pwniad i'w asennau esgyrnog a byddai'n dod i'r wyneb, dan ruo.

Methais fy arholiadau bale yn yr ysgol. Ond gwrthodais feio'r sgidiau brynodd Hi i mi, y swigen ar fy nhroed a'r athrawes. Dim ond un peth oedd ar fai. Fy nghorff. Fi, fy nghorff, oedd y bai.

hen nain

Ffrwyth yw tomato ac mae dros 10,000 math o domatos yn y byd. Mae 17.69 calori ym mhob 100 gram, sef 24 calori mewn un tomato cyffredin.

'Wy off, 'te.'

Yr un geiriau'n union cyn mynd allan trwy'r drws. Ro'n i bellach wedi derbyn mai rhiant rhan-amser oedd Dad gan mai dyna natur ei waith fel pensaer. Gan amlaf, byddai i ffwrdd am noson neu ddwy ond weithiau byddai'n hedfan dramor ac yn absennol am rai dyddiau. Doedd ei golli am wythnos neu ddwy ddim yn peri gofid achos gwyddwn y byddai'n dod ag anrheg ddrud yn ôl i mi. Gemwaith fel arfer – anrheg prynwr diog, diddymchymyg gan fod digonedd o ddewis ar gael. O'i blaid, mi ro'n nhw'n anrhegion ymarferol – rhai fyddai'n ffitio'n dwt i'w boced. Breichled, mwclis neu fodrwy, a chlustdlysau gan fy mod wedi mynnu cael tyllau yn fy nghlustiau'n anrheg ben-blwydd yn ddeg oed. Yn ei barn Hi, roedd rhai o'r darnau gemwaith yn anaddas – 'yn rhy hen iddi' – ond eiddigedd pur oedd hynny gan mai dim ond fi oedd yn cael anrhegion yn gyson ganddo. Pen-blwydd a'r Nadolig, dyna pryd roedd o'n prynu iddi Hi.

'Ti'n ei difetha hi!' oedd ei chŵyn gyson.

'Jest gad hi fod,' oedd ei ateb cyson, cyn gwenu arna i a goglais fy ngên.

Ond roedd y tri gair bach 'Wy off, 'te' yn golygu mwy iddi Hi. Gyda phob ymadawiad, roedd Hi fel pe bai'n mynd yn fwyfwy ansicr, a'r geiriau'n creu ychydig mwy o rwyg bob tro yn yr uned deuluol. Os, yn wir, *oedd* uned.

'Am faint wyt ti ffwr' tro 'ma?' gofynnodd yn dawel.

'Deg diwrnod? Sa i'n siŵr.' Doedd o byth yn siŵr pryd y byddai'n dod adre. Ac roedd hynny'n fy ngwneud i'n ansicr hefyd.

'Ti am *skypio* fi?' holais yn obeithiol.

'Cyfarfodydd gyda'r nos, *Honeybunch*. Byddi di yn dy wely.'

'O, pliiis *skypia* fi.'

'Wna i 'ngore, ond sa i'n addo. Ond fe decstia i di, ocê? A ffono.'

Doedd gen i'm dewis ond bodloni ar hynny.

'A cofia di ddishgwl ar ôl dy fam.' Edrychodd arni Hi. 'Cer â Hi mas am wac. Neith bach o awyr iach fyd o les iddi.'

Edrychodd Hi i ffwrdd, gan osgoi edrych ym myw ei lygaid.

'Bydd yn groten dda.'

'Caru chdi, Dad.'

'A finne tithe.'

Cusanodd flaenau'i fysedd a'u gosod ar fy ngwefusau. Yna un edrychiad olaf i'w chyfeiriad Hi cyn i'r drws ffrynt gau'n glep ar ei ôl.

'Tap 'na'n dal i ddiferu!' gwaeddodd Hi, cyn mynd i arllwys gwydraid mawr o win coch rhad iddi hi'i hunan.

'Ble mae o'n mynd tro 'ma?' gofynnais, gan ddychmygu pa fath o anrheg fyddai'n cael ei hagor.

'Dos i dwtio dy stafell,' atebodd.

'Ydy o'n mynd i Affrica neu India?'

'Stafell! Twtio! Rŵan!' gwaeddodd ar dop ei llais, y gwydryn gwin yn crynu yn ei llaw. Bellach, roedd byw dan yr un to â Hi'n uffern.

'Ond i ble mae o'n —?'

'Pa ran o'r frawddeg yna ti ddim yn ddeall?! STAFELL! TWTIO! RŴ-AN!'

Rhedais i'r llofft a gosododd Llais y drych o'm blaen.

'Rhywbeth od yn digwydd yn fan'na,' meddai'n ofidus, gan bwyntio at fy mronnau.

Codais fy nghrys-T ac edrych ar fy nhethi. Roedd blewyn yn tyfu ar un ohonyn nhw, a'r llall yn sensitif a phoenus. Ac roedd lympiau bychain oddi tani, fel pe bai'n fwlb blodeuyn ar fin blaguro.

'Neu ddarn o *cottage cheese*,' ychwanegodd Llais, gan geisio bod yn ddoniol.

Ac roedd un o'r wya-wedi-ffrio yn fwy na'r llall!

'Cael cawod yn y gampfa, mi fydd pawb yn chwerthin ar dy ben. Dyliat ymuno â'r syrcas! Ti'n *freak!*' chwarddodd Llais.

Daeth cwmwl du dros fy wyneb. Shit! Mae gen i gansar! Rhedais yn ôl i lawr y grisiau gan weiddi, 'Mae gen i gansar! Mae gen i gansar!' Codais fy nghrys-T o'i blaen, a chodi cywilydd arna i fy hun yr un pryd wrth iddi giledrych yn ddi-hid a lled-chwerthin yn sarhaus.

'Bronnau! Ti'n magu *bronnau!* Dwy ... *dau* reswm da dros fod yn ddyn!' Cymerodd ddracht arall o'i gwin. 'Amlwg dy fod ti'n mynd i gael rhai mawr, 'fyd, fel dy hen nain. 'Sa honno wedi gallu bwydo'r Trydydd Byd!'

A oedd hynny fod i wneud imi deimlo'n *well?* Ro'n i'n ddeg oed, gyda phâr o fronnau fel fy hen nain?!

'Bryd i chdi wisgo bra,' ochneidiodd.

Gwisgo bra, a minnau dal yn yr ysgol gynradd?! Ond mi fyddai hynny'n fy ngwneud yn wahanol, a do'n i ddim eisio bod yn wahanol. Mae plant eisio croesi'r bont i fod yn oedolyn gyda'i gilydd – nid cyn, nac ar ôl pawb arall. Fi fyddai'r sebra yng nghanol y ceffylau; yr oedolyn gydag wyneb plentyn. Meddyliais sut y byddai bronwisg yn newid fy mywyd, os ei newid o gwbl. Efallai y byddai'n rhoi mwy o hyder i mi, fy ngwneud yn berson mwy awdurdodol, fel mae tei yn ei wneud i ddynion (a rhai merched). Byddai Hi'n dangos mwy o barch tuag ataf, a byddwn yn cael mwy o sylw gan fechgyn (er nad oedd gen i affliw o ddim diddordeb mewn bechgyn pan o'n i'n ddeg oed).

Doedd hwn ddim am fod yn brofiad da, meddyliais. Ac ro'n i'n llygad fy lle.

Sandra's Secrets oedd enw'r siop, wedi'i lleoli ar ganol y stryd fawr, nid mewn stryd fach gefn lle gallwn guddio o olwg pobl fusneslyd. Edrychais o'm cwmpas cyn camu dros ei rhiniog, fel pe bawn ar fin gwerthu cyffuriau i blant ysgol feithrin. Trwy ryfedd wyrth, dim ond Hi a fi oedd yn y siop a doedd drws y siop heb gau cyn y daeth merch ganol oed gyda gwallt pinc tuag atom. Doedd hi ddim yn gyfrinach; hi oedd 'Sandra'. Gwyddwn hynny oherwydd roedd ei henw wedi'i sgrifennu ar fathodyn ar ei silff bronnau, rhag ofn iddi anghofio pwy oedd hi, efallai. Am ryw reswm (ei dull o gyfarch, tôn ei llais, neu ei brawddegau byr?) roedd hi'n amlwg mai llwch lli oedd rhwng ei chlustiau. Ac roedd hi'n denau. A del iawn.

Mae llygoden fach yn ddel, meddyliais yn eiddigeddus, *ond i be mae hi'n dda?*

'Hia. Sut alla i eich helpu chi?'

Tynnu'r wên ffals oddi ar dy wyneb, o bosib?

Fel ro'n i wedi'i rag-weld, roedd cael fy mesur ganddi *yn* brofiad. Nid un cwbl annioddefol, ond yn 'brofiad' er hynny. Daeth yn amlwg bod Ms Sandra 36DD wedi mesur miloedd o fronnau merched. Ei llygaid oedd ei thâp mesur cynta wrth iddi fy llygadu, cyn camu ymlaen i gwpanu fy mronnau. Cymerais gam yn ôl. Doedd pawb ddim yn cael yr hawl i fy nghyffwrdd, ac yn sicr nid rhywun dieithr. Edrychodd Hi yn gas arna i, cystal â dweud wrtha i am beidio â chodi cywilydd arni mewn lle cyhoeddus. Ildiais, gan adael i Sandra gwpanu ei dwylo o fewn modfedd i fy nhanjarîns.

'Reit, breichiau i fyny!' Crwydrodd ei llygaid dros fy mronnau, cyn cyhoeddi, 'Neith yr un *training* bra ei ffitio hi,' meddai wrthi

Hi, cyn troi ataf a dweud, 'Mae gen ti dits anferth am dy oed, yn does?' (Na, ddywedodd hi ddim mo hynny, ond dyna glywais i!) Ond *mi* ddywedodd yn ysgafn, 'Ti'n ferch fach reit fawr am dy oed, on'd wyt?' cyn dewis bra oddi ar beg a'i osod yn fy llaw. Edrychais arno. Bra melyn llachar gyda blodau cochion ar ei du blaen. Roedd ei ymylon wedi'i addurno â lês, gyda strapiau bychain a chwlwm dolen ar bob ysgwydd.

Digon mawr i fynd i gampio ynddo, meddyliais, wrth imi ddarganfod bod rhywbeth metel ar ei waelod i gadw ei siâp. Am ryw reswm od, dechreuais ei hoffi.

'Ti ddim yn cael gwisgo hwnna!'

'Be sy'n bod arno fo?'

'Ti ddeudodd bo' ti'm eisio cancr y fron!'

'Cancr y fron?!'

Roedd hyd yn oed Sandra wedi'i synnu o glywed hynny.

'Gall y metel rydu yn erbyn dy groen ... ac ... ac achosi cancr.'

A chyn i Sandra gael cyfle i egluro ei bod Hi'n siarad trwy ei thin ...'Oes gynnoch chi un arall, mwy addas, *heb* fetel ynddo?'

'Mae gen i un plastig ...'

'Na! Un heb ddim byd o *gwbl*!' eglurodd Hi, mor glir â chynnwys ei photel jin.

Taflwyd y bra blodeuog ymaith a dewisiwyd un mwy 'addas' i mi, ganddi Hi. Gafaelodd ynddo a'i hongian o flaen fy llygaid fel fferetwr yn dal cwningen gerfydd ei chlustiau. Bra gyda strapiau mawr. Rhy fawr. Cotwm plaen. Plaen a diflas. Cronnodd deigryn yng nghornel fy llygad. Sut o'n i'n mynd i newid o flaen y genethod eraill yn y gampfa?

'Na. Plis?' plediais, yn dawel.

'Na, plis, be?!'

'Dim. Dim byd.'

'Hwn wneith y tro,' meddai wrth Sandra, a oedd yn falch o werthu unrhyw beth cyn deg yn y bore. Rhoddais un cynnig arall arni.

'Yn hytrach na bra, ga i wisgo crys-T tyn ... neu jest eu clymu nhw efo tâp?'

Ni chefais unrhyw fath o ymateb. Syllodd yn fud ar fy nghorff. Roedd Hi fel pe bai'n gwrthod cydnabod na wynebu'r ffaith 'mod i ar y ffordd i fod yn oedolyn ... yn ddynes. Ac am unwaith roeddan ni'n rhannu'r un meddyliau. Y ddwy ohonon ni eisio i mi aros yn ddeg oed ... yn blentyn ... am byth.

Cyrhaeddais adre gyda phedwar bra a nicyrs i fatsio. Soniais yr un gair wrth neb, yn sicr ddim ar y cyfryngau cymdeithasol. Gwyddwn o hynny ymlaen mai fi fyddai'r gyntaf − neu'r olaf − i newid yn y gampfa, cyn cymryd cawod sydyn.

Y noson honno, wrth i mi sipian gwydraid o ddŵr yn y gegin, safodd Hi yn y drws a syllu arna i fel pe bai mewn perlewyg.

'Mi ddigwyddodd rhywbeth,' meddai'n araf, bwrpasol. 'Dwn i ddim be, ond *mi* ddigwyddodd rhywbeth.'

Edrychais arni. Am be oedd Hi'n rwdlian? Doedd hi ddim yn *edrych* yn feddw, ond mae bod yn feddw heb edrych yn feddw yn un o sgiliau meddwon.

'Rhywbeth wnes i? Rhywbeth ddeudish i? Neu rhywbeth *wnaeth* dy dad? Rhywbeth *ddeudodd* dy dad?'

Cyn i mi geisio'i hateb, rhoddodd ei bys ar ei gwefus gan

Un wennol
ni wna
wanwyn.

awgrymu nad oedd eisio clywed yr ateb. Trodd a cherddodd yn ôl i'w sedd wrth y ffenest, a syllu allan ar y byd.

Daeth pwl o ofid drosta i wrth feddwl bod pob merch yn troi i fod fel ei mam. Dyna yw ei thrasiedi. Nid yw hynny'n digwydd i fechgyn, a dyna beth yw eu trasiedi nhw.

Ni chefais fawr o gwsg y noson honno. Ac mi gymrodd dair blynedd i mi anghofio am y profiad o brynu fy mra cynta.

tyfu gwsberis

Does dim llawer o galorïau mewn eirin Mair – dim ond 44 calori mewn 100 gram.

Cofio'r lle. Cofio'r eiliad. Un frawddeg. Un frawddeg yn unig.

'Blydi hel! Ma gin ti bâr mawr am d'oed, yn does?'

Adeiladwr. Tew. Rhych ei din o'n golwg. Ar ben sgaffolding.

'Chei di'm lot o'r rheina i'r pwys!' ychwanegodd, cyn cydchwerthin gyda dau epa arall.

Od fel mae ambell frawddeg – ambell air weithiau – yn aros yn y cof. Rhai'n codi gwên a phleser, ac eraill yn syth i'r galon. A thrwyddi. Arhosodd rhain yn y galon a'r pen. Cerddais heibio yn fân ac yn fuan gyda'i chwerthin plentynnaidd, tydw-i'n-uffar-o-foi yn adleisio tu ôl i mi. Cachwr oedd hwn. Bwli. Un ddewisodd ei ysglyfaeth yn ofalus. Dyna mae bwlis yn ei wneud. Ro'n i'n ysu i ofyn iddo sut fyddai'n hoffi i rywun ddweud hynny wrth ei fam neu ei chwaer, ei ferch neu ei wyres? A fyddai'n chwerthin mor uchel wedyn?

A dyna pam ro'n *i'n* gachwr. Dylwn fod wedi'i ateb. Dylwn fod wedi dweud wrtho beth ro'n i'n feddwl ohono, a hynny mewn iaith liwgar. Dylwn fod wedi mynd ato, sefyll o'i flaen, dal fy nhir, gwrthod cymryd cam yn ôl a'i sathru fel lwmp o gachu ci. Ond ifanc o'n i. Plentyn.

Rhaid bod hyn yn rhan o aeddfedu, meddyliais.

Dyma'r gosb am droi'n oedolyn. Wrth gerdded ymlaen, edrychais fel pe bawn yn gwbl ddi-hid i'w eiriau, ond tu mewn roedd merch fach ddiniwed yn sgrechian, **'AAAAA!!!'** O'r eiliad honno, ro'n i gam yn nes at ymyl y dibyn.

Rhedais adre a sefyll o flaen y drych. Roedd Llais yno'n gwmni.

'Mae o'n gyhoeddus, 'te,' meddai. 'Mae'r "lwmpen" yn datblygu'n gynt na phawb arall o'i hoed.'

Rhwbiais fy mronnau. Roedd Hi'n iawn. Roedd y gwsberis yn troi'n eirin. Doedd dim angen i mi stwffio papurau a thisiws yn fy mra bellach i ddenu sylw'r bechgyn oherwydd ro'n i'n blaguro, yn blodeuo. Ac wrth edrych i lawr ar fy nghorff noeth, sylwais nad fy mronnau'n unig oedd yn tyfu ond hefyd fy nhin, fy nghluniau, fy nghoesau, a chlywais Llais yn erfyn arna i:

'Colli pwysau. Rhaid. Colli. Pwysau.'

Edrychais ar ei hadlewyrchiad yn y drych. Dyma rywun oedd yn fy neall. Llais oedd fy mhartner perffaith. Roeddwn eisio ei phriodi!

'A wnei di gymryd y ferch denau hon i fod yn gydwybod dawel, cyfrif ei chaloriau, ei phwyso a'i mesur o'r dwthwn hwn ymlaen?' gofynnais.

'Gwnaf.'

'A wnei di ei tharo gyda lliain gwlyb neu fag o bys wedi rhewi bob tro mae hi'n bygwth rhoi bwyd yn ei cheg, ei chodi hi o'r gwely am chwech o'r gloch bob bore i fynd i redeg, ei llusgo o bobman lle mae bwyd a'i hatgoffa o rinweddau letys, bresych ac asparagys?'

'Gwnaf,' atebodd eilwaith, cyn cymryd yr awenau. 'Ac a wnei di addo fy ofni, ac aberthu blas, pleser a maeth o'r dwthwn hwn ymlaen?'

'Gwnaf.'

'A wnei di addo bwyta prin ddim, yfed cymaint o ddŵr â deg eliffant a chadw at y cyfanswm caloriau a gytunwyd?'

'Gwnaf,' atebais yn eiddgar, cyn i'r ddwy ohonon ni gydadrodd: 'Galli di yn awr amddifadu dy stumog ... am byth!' Pwysais fy llaw yn erbyn y drych.

'*Hi five!*'

Roedd ein tîm o ddwy, a'r telerau, wedi'u sefydlu pan ddaeth yr alwad hunanol o lawr grisiau.

'Wyt ti 'di gweld be ma hi'n wisgo heddiw?'

Oedais. Ochenaid o rwystredigaeth. Roedd hi fel tiwn gron, yn gofyn yr un cwestiwn bob dydd.

'Ble wyt ti?!'

Ble oedd Hi'n feddwl o'n i? Yr un lle ag arfer. Fel Hithau. Pam dwi'n trafferthu mynd ati? Pam na allaf ei hanwybyddu? Oni fyddai hynny er lles y ddwy ohonon ni? Camais i mewn i'r stafell fyw a dyna lle roedd y Geranium.

'Pwy? Am bwy ti'n sôn?' gofynnais, gan wybod yn iawn am bwy oedd Hi'n sôn.

'Pwy ti'n feddwl?! Hi. Hi dros ffordd.'

Dyna yr oedd Hi yn galw hi dros ffordd – 'Hi'.

'Blows dynn, *cleavage*, a jîns fel ail groen am ei thin mawr. Pa fath o esiampl yw hi i'w phlant?'

Mae hi'n edrych yn grêt, meddyliais.

'Be mae ei gŵr hi'n feddwl ohoni? Ei wraig o'n golchi ei char mewn sodlau? Pa fath o fam a gwraig ydy hi? Pa fath o —'

'Wyt ti eisio mynd allan am dro?' gofynnais, gan dorri ar ei thraws. Roedd Hi'n ailadrodd ei hun yn ddyddiol, fyddarol. ''Sna'm rhaid i ni fynd yn bell. Allwn ni fynd at y seithfed polyn lamp. Un yn bellach na'r tro diwetha. Neu hyd yn oed yr wythfed os wyt t'eisio. I ben y stryd. At gatiau'r fynwent.' Edrychodd arna i'n betrusgar. 'Mi fydda i efo chdi. Ti ddim wedi bod allan ers dyddiau. A mae Dad yn iawn, mi wneith awyr iach les i ti a —'

'Be ŵyr dy dad?!' sgyrnygodd dan ei gwynt. Roedd casineb yn ei llygaid. 'Mi a'i allan pan *dwi eisio* mynd allan, pan *dwi'n* barod. Deall?!'

Do'n i ddim *yn* deall – ddim yn iawn – ond nodiais a chymryd arno 'mod i. Trodd ei phen i edrych trwy'r ffenest cyn gwthio'i botwm ailadrodd.

'Sodlau! Pwy mae hi'n feddwl ydy hi? Deud wrtha i, pwy?!'

Edrychais ar Hi rhif 2 dros y ffordd. Daeth i fyw yno rhyw chwe mis yn ôl, hi a'i gŵr a dau o blant. Nid oes pwrpas manylu am gefndir Hi rhif 2 na'i gŵr na'r plant – nid oedd eu cefndir yn bwysig. Yr unig beth oedd yn bwysig oedd y ffaith bod Hi rhif 2 yn bodoli. Dyna'i hunig wendid; y ffaith ei bod yn bodoli ac yn edrych yn *awesome, amazing, incredible* (yn ôl Twitter,

Snapchat, bla bla bla ...). Doedd hi ddim yn berffaith – roedd merched deliach na hi – ond gallwn ddychmygu rhywun yn malio amdani'n fwy na dim arall yn yr holl fyd. Ac allwn i ddim mo'i beio Hi am syllu arni oherwydd ro'n i a Llais hefyd yn syllu arni, a hynny'n rhy aml. Ac yn sôn amdani fel Hi rhif 2 efo'r:

'Corff siapus, dillad trendi, gwenu ar bawb.'

'Gŵr a dau o blant perffaith (un o bob un, wrth reswm); y teulu *two point four.'*

'Car *convertible.'*

'Arogli'n dda, fel blodau ffres, gwair wedi'i dorri.'

'Gwisgo siorts. Coesau brown.'

'Pawb yn bwyta o gwmpas y bwrdd gyda'i gilydd, ac ar amser.'

'Bwyd cartref. Cig oen wedi rostio, treiffls, pwdin reis, rhiwbob o'r ardd.'

'*Cupcakes* perffaith – sbwnj melyn, ysgafn yn gorwedd yn berffaith ar bapur *greaseproof* mewn bocs *tupperware.'*

'Plant tenau yn cael gwersi bale a nofio. Mynd i'r theatr a'r sinema a'r clwb tennis ...'

Doedd dim byd drwg yn digwydd yn eu byd perffaith nhw. Ond pan ddywedais hynny wrthi Hi, bu bron iddi frathu 'mhen i ffwrdd.

'Wyt ti'n treio dweud bod rhywbeth o'i le arna i?!' gofynnodd dan gyfarth.

'Nac'dw,' atebais, gyda 'nhrwyn yn tyfu. Edrychais arni. Yn sefyll o 'mlaen roedd dynes â'i bywyd yn ddigyfeiriad ac, i raddau helaeth, yn ddibwrpas. Yr eiliad mae rhywun yn stopio symud, mae angau'n ennill ac roedd hi gam o fod yn glaf ar wely angau, yn bodoli yn hytrach na byw. Ac roedd Amser wedi dechrau bwyta'i phrydferthwch, fel mae'n bwyta popeth arall. Ei hobsesiwn diweddaraf oedd glanhau'r tŷ bob awr o bob dydd. Nid tŷ mul oedd ein tŷ ni – doedd dim rhaid rhoi mydgiards ar yr hwfar, a doedd y llygod mawr ddim yn gorfod gwisgo ofarôls. Gallai rhywun fwyta oddi ar y llawr, pe bai unrhyw un a oedd yn byw yn y tŷ *yn* bwyta. Glanhau ac yfed alcohol – dyna oedd ei swyddogaeth mewn bywyd. O ddewis, nid Hi fyddai fy fam oherwydd roedd Hi'n:

- niwrotig, paranoid
- gwisgo sgertiau hir
- ei gwallt yn flêr, *split ends*, angen ei dorri ... a'i gribo
- gwrthod smwddio crysau Dad
- mynnu 'mod i'n tacluso fy llofft bob nos
- mynnu 'mod i'n defnyddio'r toiled lawr grisiau
- ôl ei nicyrs yn y golwg trwy ei dillad
- cnoi ei hewinedd
- yn gweiddi arna i, sgrechian ar dop ei llais

... ac yn rheoli. Dyna'i gwendid a'i bai mwya. Ei dawn bleserus i roi gorchymyn, i ddweud wrtha i beth i'w wneud ... a phryd i'w wneud o ... a gyda phwy. Y fam berffaith i mi oedd mam *cool*, un oedd yn medru reidio beic un olwyn gan lwyddo i orffen y Rubik's Cube ar yr un pryd. Ro'n i eisio dengyd. Neu cael mam arall.

Fydda hi'n bosib i mi gael fy mabwysiadu? meddyliais.

codi pais

Mae melynwy yn un o'r ychydig fwydydd sy'n cynhyrchu Fitamin D naturiol.

John F. Kennedy, Elvis Presley, glanio ar y lleuad ... Karen Carpenter. Mae pobl o bob cenhedlaeth yn cofio'n union lle ro'n nhw pan ddaw colled arbennig neu ddigwyddiad ysgytwol. Yn y gawod. Dyna lle ro'n i. Mis Mehefin, bore sadwrn, 10.33 a.m. (nid bod yn orfanwl ydw i; digwyddais edrych ar y cloc), ac ychydig ddyddiau cyn fy mhen-blwydd yn ddeuddeg oed a hanner. Roedd gen i boen yn fy mol. Beio'r deiet, a'r pedwar afal ro'n i wedi'u bwyta i ginio'r diwrnod cynt. Wrth sglefrio sebon i lawr fy mreichiau a theimlo'r dŵr poeth yn golchi'r caloriau i ffwrdd, sylwais fy mod i'n sefyll mewn pwll bach o waed. Dim llawer – rhwng tair a phum llwy de – ond dan y gawod roedd o'n edrych fel peintiau. Rhoddais sgrech dawel cyn cymryd hanner cam yn ôl a sylwi ei fod yn diferu i lawr fy nghoes. Cyflymodd fy anadl. Meddyliais 'mod i'n marw. Wedi'r cwbl, allai hyn ddim bod yn naturiol, do'n i ddim i fod i waedu o fan'na ... o'n i? A oedd gen i gansar ... *eto?* Clywais sgrech uwch o'r stafell fyw: **'Aaaaa!'**

Ro'n i wedi diferu gwaed ar ei soffa. Ond sut gallai Hi 'meio i? Dylai fod wedi'n rhybuddio bod hyn yn mynd i ddigwydd. Dyna un o'i dyletswyddau fel mam gyfrifol. Roedd hi'n bur amlwg, yn fy marn i, ei bod wedi gwrthod trafod y ffaith, y *ffaith* y byddwn rhyw ddiwrnod yn cael misglwyf. Deallais flynyddoedd yn ddiweddarach bod rhai mamau'n gorymateb ac yn beichio crio pan oedd eu merch yn cael y misol am y tro cynta.

'O, fy mabi bach i! Mae hi wedi troi yn ... yn oedolyn!'

Ond doedd Hi ddim cweit mor melodramatig (ei hunig rinwedd?).

'Stedda. Dwi eisio gair.'

Beth oedd y pwrpas cael trafodaeth ar ôl y digwyddiad? Codi pais ar ôl *period* oedd hynny. Awgrymodd Llais fod ganddi 'ormod o gywilydd' efallai. Cywilydd? Cywilydd am beth?!

Does dim cywilydd mewn cael wyneb budr, meddyliais. *Y cywilydd yw peidio'i olchi.*

Neu efallai fod ganddi ryw ffobia unigryw (arall!) am eiriau'n dechrau gyda'r llythyren 'p', megis *puberty*, *period* a PHOEN! Eglurodd yn blwmp ac yn blaen i mi.

'Mi ddigwyddith unwaith y mis. Am ryw wythnos. Bob mis.'

'Bob mis?!'

'Tan wyt ti f'oed i.'

Mor hir â *hynny*?!

'A gwaeth eith bywyd. Lot. Blydi. Gwaeth.'

Taflodd focs yn ddiseremoni ar y bwrdd o'm blaen.

'A paid â dweud gair wrth y bechgyn.'

'*Lil-Lets Teen Applicator Tampons Regular x 10*,' darllenais. Lil-Lets. Rhaid cyfadde imi garu'r enw o'r cychwyn. Roedd o'n air cynnes i'r glust, yn swnio fel enw rhyw hen fodryb groesawus. Anti Lilian. Modryb Lil. (Cystal â'r gair *clitoris*, sy'n atgoffa rhywun o ynys baradwysaidd yng Ngwlad Groeg.) Ac er nad oeddwn wedi bod yn agos at bwll nofio erioed (gas gen i feddwl am fod yn hanner noeth o flaen y cyhoedd), roedd awgrym ar y bocs y gallwn nofio pe bawn yn defnyddio tampon. Gwyrth!

Yn gynnil – yn gynnil *iawn* – ceisiais ddarganfod a oedd un o'm cyd-ddisgyblion yn 'gallu nofio'. Na ... neb. Neu bod neb yn fodlon cyfadde ar y pryd. Y bra cynta, y misglwyf cynta – Madi, Y Bibyddes Frith – fi'n arwain, a phawb arall yn dilyn. Ond ymhen y mis (!) cefais wahoddiad annisgwyl ... ac anghyffredin, a dweud y lleia ... gan Susan Protheroe (ei rhieni'n ddoctoriaid, nid bod hynny'n berthnasol i'r gwahoddiad ... neu efallai ei fod o?).

'Ti moyn dod i 'mharti *period* i?' gofynnodd yn gyffrous, fel pe bai'n fy ngwahodd i'w pharti pen-blwydd.

'Ti'n cael ... *parti*?!'

'Syniad Mam.'

Mam cool ac amazing, meddyliais.

'Pawb i wishgo coch – matsio'r balwns a'r eisin ar y gacen!'

Am ennyd, cefais fy mharlysu a 'ngoglais gan y llun yn y dychymyg.

'Wel? Ti moyn dod?'

''Swn i wrth fy modd, ond dwi'n meddwl 'mod i'n gorfod mynd i weld Nain.'

'O'n i'n meddwl bod dy dad-cu a dy fam-gu wedi marw mewn damwen car?'

Shit!

'Do. Ond mae Taid a Nain gogledd dal yn fyw. Byw'n Ffrainc. Wedi ymddeol. Byth yn eu gweld nhw. Dod adre am wyliau. Am benwythnos. Hir.' Mae pawb sy'n dweud celwydd yn dweud gormod, a hynny mewn brawddegau byrion.

' O. Reit. Trueni.'

Gyda hanner gwên ac arlliw o sarhad, aeth Susan ymaith i chwilio am rywun fyddai'n fodlon mynd i'w pharti gwahanol, rhywun gyda dillad coch a heb nain ddychmygol yn byw'n Ffrainc.

Cyfnod od. (Dwi'n galw llawer o bethau'n 'od'. Mae o'n fyd *od*.) Cyfnod pan oedd rhai ohonon ni'n mynd o gwmpas gyda'n breichiau wedi'u croesi ac yn edrych ar y llawr wrth gerdded. Ac roedd y rhai mwya 'aeddfed' ohonon ni'n cyfathrebu gyda'n gilydd mewn codau cyfrinachol megis 'amser o'r mis' a 'Lerpwl yn chwarae adre'. Ond doedd Hi ddim yn rhy hapus, yn ôl ei harfer, a chefais orchymyn … od.

'Paid â dweud wrth dy dad.'

Allwn i ddim meddwl am unrhyw reswm pam *na* ddylwn i.

'Sdim ots pam. Jest paid â dweud wrtho,' meddai'n siarp.

O fewn ychydig funudau, ro'n i wedi'i decstio. 'Misglwyf cynta heddiw,' ac ychwanegu imoji gyda gwên lydan.

Ni dderbyniais neges destun yn ôl. Rhaid ei fod o'n rhy brysur.

Dros nos, teimlais fy mod i'n perthyn i ryw glwb dethol. Am gyfnod, ro'n i'n wahanol i'r rhan fwya o'm cyfoedion, yn 'sbesial' (un o hoff eiriau Dad wrtha i), ac mae bod yn wahanol yn deimlad braf. Ond y gwir oedd do'n i ddim *eisio* bod yn wahanol y tro hwn. Bod yr un peth â phawb arall; dyna oedd y ddelfryd.

pen-blwydd hapus?

Nid yw llysieuwr a fegan yn gallu bwyta gelatin oherwydd ei fod wedi'i greu o groen, meinwe ac esgyrn anifeiliaid fel gwartheg a moch.

Er nad oedd o adre bob wythnos (yn llai aml), doedd Dad erioed wedi anghofio diwrnod fy mhen-blwydd. Cefais gynnig bob blwyddyn i gael parti gyda'm ffrindiau ond pan sylweddolodd y ddau fod gen i ddim ffrindiau agos – a hynny o ddewis – penderfynodd Dad fynd â fi allan am y dydd, llefydd arferol fel y parc, y sw, neu lan y môr. Weithiau, mi fyddai Hi'n dod efo ni ond ei dewis fel rheol oedd aros yn y car. Er bod hynny'n ymddygiad od (clywais rhywun yn awgrymu 'agroffobia') ac yn achos dadlau rhwng y ddau, ro'n i'n barod i dderbyn mai un fel'na oedd Hi. Does neb yn gallu addasu i sefyllfa wahanol yn well na phlentyn – dyna mae plant yn ei wneud. Mae oedolion, yn enwedig y rhai canol oed, yn tueddu i fod yn fwy gwyliadwrus, yn fwy amheus ac ofnus o bopeth.

Gwaethygodd gyda throad amser. Roedd Hi'n casáu ei phen-blwydd yn bum deg, neu'r 'Big 5-O'. Y diwrnod cynt, roedd Hi'n dawelach na'r arfer, fel pe bai'r byd ar fin dod i ben. A chyn i'r bom atom ffrwydro, gallwn ei chlywed yn crio'n dawel yn ei gwely wrth i'r cloc daro hanner nos. Teimlais rywfaint o dristwch drosti a bu bron, *bron* i mi ddangos rhywfaint o gydymdeimlad.

Y 'BIG 1-3' achosodd nosweithiau di-gwsg i mi. Roedd y diwrnod hwnnw'n gwmwl du ar y gorwel am wythnosau ac, fel y misglwyf, yn gam enfawr tuag at fod yn oedolyn. 'Ta-ta, Plentyndod' a 'Helô, Oedolyn'! Roedd hi'n amser agor y botel Valium 10 (nid 'mod i wedi gwneud hynny!) wrth i'r syniad o aeddfedu, a'r gair 'aeddfedu', fy arswydo.

Addawodd Dad y byddai'n fy *skypio* y bore hwnnw. Yn ôl ei arfer, wnaeth o ddim fy siomi wrth i'w wyneb blinedig lenwi'r sgrin.

'Pen-blwydd hapus, *Honeybunch*.'

'Diolch, Dad.'

'Sorri bo' fi'n ffaelu bod 'da ti ar dy ddiwrnod mowr.'

'Ocê. Dim probs,' atebais, gan guddio'n siom.

'Tair ar ddeg. Ti'n *teenager*! Dim ond ddo' o't ti'n fabi yn 'yn freichie i.'

'Un mawr,' atgoffais. 'Lwmpen.'

'Ha! Dim ond jocan o'n i! O'n i'n gwbod byddet ti'n ffaelu 'neall i, t'wel! Ti wastod yn dishgwl yn berffeth i fi. Ti'n gwbod 'nny, o'nd 'yt ti?'

'Yndw, Dad.'

Dad oedd yr unig un yn y byd oedd yn dweud y pethau iawn wrtha i.

'Ble wyt ti?'

'Yn fy stafell wely. Yn y gwesty.'

Tu ôl iddo roedd gwely mawr crand.

'Pryd ti'n dod adre?' Roeddwn yn colli ei gwtshys.

'Cyn hir, *Honeybunch*.'

Newidiodd y pwnc yn od o sydyn.

'Hei, ma 'da fi syrpréis bach iti.'

Roedd o wastod yn rhoi syrpreisys i mi.

'Cyn gadael wthnos diwetha, gwates i rywbeth dan dy wely di.'

'Be ydy o?' holais, yn gyffrous.

'Os weda i 'thot ti, fydd e ddim yn syrpréis, fydd e?' atebodd, dan wenu'n gyfrinachol. 'Syniad dy fam o'dd e. Hi awgrymodd y dylet ti gael un d'hunan. Gobeitho wnei di iwso fe.'

Bellach, roedd fy nghorff yn binnau mân drosto, cymaint oedd y cyffro. Hwn oedd y tad gorau yn y byd. Yna, clywais ddrws yn agor yn y cefndir. Nid oedd yn amlwg pa ddrws na phwy oedd yn ei agor. Edrychodd Dad yn nerfus.

'Sorri, rhaid i fi fynd. Joia dy ben-blwydd, ocê?'

'Aros i 'ngweld i'n agor dy anrheg di.'

'Joia dy ben-blwydd,' meddai'n gyflym, cyn chwythu cusan i mi.

Clywais lais dieithr yn y cefndir. Llais merch. Ifanc. Estron. Ffrangeg ei hiaith. Eglurodd Dad rywbeth iddi'n frysiog yn ei mamiaith (roedd Dad yn gallu siarad pedair iaith yn rhugl) cyn cau ei liniadur yn glep.

'Dad?' meddwn, yn ddryslyd, ansicr. '**DAAAAD**?!' gwaeddais, fy llais yn adleisio rhwng pedair wal fy stafell.

Oedais a meddwl. A oedd ganddo gwmni? Ai merch oedd hi? Roedd o'n swnio fel llais merch ond ... ? Ac os mai merch oedd hi, efallai mai'r ddynes lanhau oedd yno. Ond roedd hi bron yr un amser ym Mharis hefyd, ac yn y bore ro'n nhw'n glanhau stafelloedd. Efallai bod y gwesty hwnnw'n wahanol, neu bod Dad wedi mynnu eu bod yn glanhau ei stafell wely ddwywaith y diwrnod. Ochenaid drom. Syllais ar fy adlewyrchiad yn y gwydr. Os nad oedd hi'n ddynes lanhau, pwy oedd hi? Ond efallai 'mod i wedi camglywed, efallai doedd neb yno o gwbl, efallai mai dychmygu'r cyfan wnes i. Efallai. Ond efallai ddim. Plannwyd hedyn o amheuaeth.

Caeais y gliniadur a'i daflu o'r neilltu, cyn penlinio a dechrau tyrchu dan fy ngwely i gael gweld beth oedd y syrpréis. A dyna ble roedd o, mewn bocs cardbord, wedi'i lapio'n flêr gan ddyn efo dwy law chwith. Rhwygais y papur i ffwrdd fel anifail rheibus a darganfod ... clorian! Peiriant pwyso personol newydd sbon danlli – yn fy nwylo! Yr anrheg ben-blwydd orau a gefais erioed! Teimlais ei bwysau. Roedd o'n drymach nag o'n i'n ei ddisgwyl.

Fel finnau.

Syllais arni gan edmygu ei siâp – y ffenest fechan o wydr clir, a thrwyddi gwelais fy hoff rif sef '0'. Gosodais y teclyn sgwâr yn bwyllog ar y llawr o'm blaen a chymryd anadl ddofn cyn mynd ati'n wyllt i dynnu fy sgidiau, fy nhrowsus llac a 'nghrys-T. Pwyllo, yna gosod un droed yn ofalus arno, fel pe bawn yn gosod troed noeth ar goelcerth. Ai fel hyn roedd Neil Armstrong yn teimlo wrth gamu ar y lleuad am y tro cynta? Camais arno. BRAW! Saethodd y rhifau i fyny. Neidiais oddi arno'n gyflym. Roedd y goelcerth hon yn chwilboeth. Ond roedd rhaid imi fod yn ddewr ... a mentro aildroedio. Un droed yn gynta ... ac wedyn ... y llall. Syllais yn syth yn fy mlaen a cau'n llygaid yn boenus o dynn, gan ddychmygu'r rhifau'n dringo'n uwch ac yn uwch ac yn uwch. Roeddwn ar ymyl y dibyn eto, yn ofni edrych i lawr. A o'n i am fentro bod yn ddewr a gweld pa rif oedd yn y ffenest fach? Yn y gwydr yr oedd y gwir ...

'Edrycha. Edrycha i lawr. Paid bod ofn,' sibrydodd Llais yn fy nghlust.

Plygais fy mhen i lawr yn araf, yn ysu i'r rhif fod yn isel.

'Allai fod yn waeth,' meddai Llais yn optimistaidd, cyn ychwanegu, 'Ac mi allai fod yn lot gwell.'

Roedd hi'n llygaid ei lle. Gallai'r canlyniad fod yn llawer gwell a'r pwysau'n llawer is.

O hynny ymlaen, roedd pwyso fy hunan yn obsesiwn.

Datblygodd o fod yn arferiad unwaith y dydd i fod yn un ddwywaith, deirgwaith, bedair gwaith, bum gwaith, **DEG** gwaith y dydd. Yr amser gorau oedd peth cynta yn y bore, *cyn y ddiod o ddŵr a hanner Ryvita i frecwast, cyn* gwneud cant o *star jumps* a *chyn* piso a geni'r hyll, a gwaredu y mymryn bwyd oedd yn fy stumog swnllyd. Ond roedd camu ar y peiriant yn cynnau teimladau cymysg. Roedd gweld y rhifau'n mynd i lawr ac i lawr, yn is ac yn is, yn fy ngwneud yn falch, hyderus, ond pan o'n nhw'n mynd i fyny – hyd yn oed chwarter pwys – byddai'r dagrau'n llifo.

Diolch, Dad, am yr anrheg berffaith.

Daeth y glorian yn ffrind agos i mi. Honno, a'r oergell Americanaidd, anferth oedd yn sefyll fel sowldiwr boliog yn y gegin. Dwn i ddim pam fynnodd Hi ei phrynu. Efallai ei bod wedi bwriadu cael teulu mawr, magu degau o blant fel y ddynes honno a oedd yn byw mewn esgid. (Pwy arall fyddai eisio magu plant mewn esgid? Dug *Wellington*?!) Yn wir, roedd y ddau beiriant yn *fwy* na ffrindiau agos, roeddan nhw'n gariadon. Tra oedd fy nghyfoedion yn edmygu bechgyn yr ysgol – yn enwedig rheini oedd flwyddyn neu ddwy'n hŷn – neu aelodau o ba bynnag grŵp pop erchyll a oedd yn boblogaidd y mis hwnnw, ro'n i'n mynd dan y gwely at y glorian, neu i'r gegin ac yn agor drws yr oergell. Ond fel pob stori gariad, doedd hi ddim yn berffaith. Doedd yr un o'r ddau'n ffyddlon na charedig iawn wrtha i ar brydiau. Roedd y glorian yn anonest a'r oergell yn gweiddi pethau cas wrtha i bob tro ro'n i'n agor ei drws.

'Cau'r drws, ffatso!' cyn ei gau'n glep, gydag euogrwydd.

Dechreuodd Llais a minnau chwarae gêm, un yr oeddan ni wedi'i dyfeisio'n hunain. 'Cyfri'r Calorïau' oedd ei henw, un llai cymhleth na gwyddbwyll ac yn fwy diddorol nag unrhyw gêm gyfrifiadurol (ro'n i'n casáu rheini!). Llais oedd y cwisfeistres a fi oedd y cystadleuydd brwd. Roedd y cwestiynu a'r ateb yn gyflym, yn filitaraidd eu naws, gyda'r gêm yn mynd yn fwy gwallgof wrth iddi fynd rhagddi. 'Sawl calori sy mewn ... letysen?'

'Pymtheg.'

'Tomato?'

'Deunaw.'

'Wy?'

'Cant a hanner.' (Pwy fyddai'n meddwl?)

'Crunchie?'

'Un wyth pump.'

'Mars?'

'Dau chwe dim.'

'Snickers?'

'Pedwar wyth un.'

'Dwy daten, tun o bys, coes cyw iâr, crymbl afal a chan o Coke?'

Dyna oedd fy swper y noson honno, ac erbyn hynny ro'n i yn gwybod beth oedd enw'r dyn laniodd ar y lleuad *ac* yn gwybod sawl calori oedd mewn rhech.

'Wyth pump saith,' sibrydais, dan fy ngwynt.

Oedodd Llais, cyn edrych yn fygythiol ym myw fy llygaid.

'FAINT?!'

Treiddiodd ei hedrychiad trwyddaf.

'Wyth pump saith.'

'UWCH!'

'Wyth pump saith.'

'**UWCH!**' gwaeddodd Sarjant Mejor Llais.

'**WYTH! PUMP! SAITH!**' gwaeddais yn ôl, wrth i'r gwythiennau gwaed bron â hollti naill ochr i 'nhalcen.

Dyna pryd yr oedd Llais ar ei mwya creulon, yn barod i'm cicio a minnau ar lawr.

'Wyth! Pump! Saith! Wyth gant … pum deg … a saith o galorïau. Un pryd bwyd. *UN*. 'Sgen ti'm cywilydd?'

Roedd gen i fwy o gywilydd na gweinidog mewn puteindy.

'Gobeithio bo' ti'n falch o dy hunan, 'na i gyd ddeuda i.'

Ac roedd hynny'n ddigon o gerydd.

'Hwch dew!' ychwanegodd, cyn troi'r gyllell. 'Soch! Soch! Soch! Soch!'

Ond ei bai Hi oedd hyn i gyd. Hi goginiodd y noson honno. Hi benderfynodd beth oedd yn mynd i mewn i 'ngheg. Ond pa hawl oedd ganddi i benderfynu beth ro'n i'n ei fwyta neu *ddim* yn ei fwyta? Pa hawl oedd ganddi Hi i reoli fy mywyd *a* fy mwyd?

Roedd yn rhaid i bethau newid.

y ddefod

Mae afal yn well na choffi i'ch deffro yn y bore am fod mwy o ffrwctos ynddo.

Ond doedd newid llwyr ddim am fod yn hawdd. Nid yn ein tŷ ni. Ar adegau – pan oedd Dad adre – roedd pryd bwyd yn rhyw fath o ddefod. Dyna sut y cafodd o'i fagu. Dyna sut oedd hi yn nhŷ Mam-gu a Tad-cu, a ro'n i'n deall hynny. Roeddwn hefyd yn cydnabod y ffaith bod gan sawl diwylliant ei ddefod ei hun ynglŷn â bwyd a bwyta: er enghraifft, yr ymprydio a'r gwledda sydd ynghlwm â'r Moslemiaid, y Catholigion a'r Iddewon; y ddefod o yfed te yn Siapan; a'r dyddiau gwyliau arbennig ym mhob cornel o'r byd i ddathlu'r cynhaeaf.

Ond mae defodau bwrdd bwyd yn araf ddiflannu yn y cartref. Brecwast bellach yw paned o goffi mewn cwpan cardbord, i'w yfed ar y trên neu ar y bws neu yn y car (sy'n beryglus, Dad!) ar y ffordd i'r gwaith; cinio yw brechdan, i'w bwyta wrth deipio e-bost; ac mae swper yn golygu bod pawb yn bwyta ar wahân, y rhieni yn y gegin a'r plant yn eu llofftydd gyda'u llygaid ar Facebook, Twitter, WhatsApp, Instagram, Snapchat neu unrhyw un o'r gwefannau niferus eraill.

Roedd tŷ ni wedi bod yn un defodol iawn ond bellach wedi syrthio rhwng dau gyfnod – y defodol, a'r llai defodol. A'r cwbl yn dibynnu a oedd Dad Defod adre. Roedd Hi'n ymddwyn bellach fel plentyn drwg y dosbarth, yn cambihafio pan oedd yr athro'n troi ei gefn. Ond nid un felly fu Hi erioed. Bu cyfnod pan oedd Hi'n gosod y bwrdd yn daclus, cerddoriaeth glasurol i'w chlywed yn dawel yn y cefndir, drws y gegin wedi'i gau a'r golau uwchben y popty wedi'i ddiffodd – hynny i gyd er mwyn gallu canolbwyntio ar y pryd bwyd ei hunan yn hytrach na'r llanast a'r golchi llestri oedd yn ei ddilyn. Cefais fy nysgu gan y ddau ohonyn nhw i:

– ymbwyllo, arafu; rhoi cyfle i werthfawrogi'r bwyd o'm blaen

– ymddwyn yn waraidd; cnoi gyda 'ngheg ar gau, dweud 'plis' a 'diolch' a pharchu fy nghyd-fytwyr ... a mi'n hunan ar yr un *pryd* (esgusoder y gair mwys!)

– osgoi dadlau a gwrthdaro; mi fyddai rheini'n achosi camdreuliad (anodd gen i gredu hynny!)

– oedi cyn bwyta; dadansoddi'r bwyd a holi'n hunan, '*Beth ydw i eisio o'r bwyd, yn emosiynol ac o ran maeth?*'

– bod yn ymwybodol o fy osgo wrth fwyta; sut dwi'n eistedd, sut i roi'r bwyd yn fy ngheg, sut i'w gnoi; holi'n hun '*A ydw i'n gyfforddus? Ydw i'n anadlu'n iawn?*'

– gosod y fforc ar y bwrdd ar ôl rhoi llond fforc yn fy ngheg er mwyn llawn werthfawrogi'r blas

– sylwi pryd o'n i wedi cael digon, pryd oedd fy stumog yn llawn a pryd o'n i wedi cael boddhad

– gofyn i'n hunan, 'Ydw i angen rhywbeth *mwy* o'r pryd na jest bwyd?'

Ac roedd yr ateb i'r cwestiwn ola hwnnw'n newid, a hynny'n gyflym. Penderfynais nad digwyddiad dyddiol, wedi cael ei drefnu gan rieni, ddylai pryd bwyd fod. Rhaid iddo fod yn 'fwy' na hynny … neu, yn fy achos i, yn llawer llai.

Datblygodd y ddawn i osgoi prydau bwyd yn grefft. Yr amser rhwyddaf i wneud hynny oedd pan oedd Dad yn absennol. Dyna hefyd pryd penderfynais mai'r ffordd orau i osgoi prydau bwyd oedd cynnig coginio. A gan nad oedd Hi yn rhy hoff o baratoi pryd i ddim ond y ddwy ohonom – 'Gwastraff amser!' – roedd Hi'n awyddus i mi wneud y gwaith. Golygai hynny fwy o amser iddi dwtio, dwstio, slochian gwin a syllu trwy'r ffenest. Nid 'mod i'n gogydd gwych. Fi oedd yr unig un yn y byd oedd yn gallu berwi wy a'i losgi! (Celwydd noeth; enghraifft o or-ddweud pwrpasol er mwyn rhoi pwyslais!) A doedd dim gofyn i mi goginio dim byd rhy gymhleth – bwyd syml, plaen a wnâi'r tro, rhywbeth i lenwi twll ac amsugno'r gwin.

Gosodais y plât bwyd yn bwrpasol – bron yn ddefodol – o'i blaen. Ni chymrodd fawr o sylw, ei llygaid wedi'u hoelio ar ei gliniadur wrth siopa ar-lein. Golyga hynny fod dim rhaid iddi fynd allan o'r tŷ i brynu neges. Edrychais ar ei bysedd yn dawnsio dros y llythrennau cyn holi'r cwestiwn holl bwysig:

'Pryd fydd Dad adre?'

'Dim carbs i ni'n dwy'r wythnos hon.'

Brawddeg ddieithr iawn pe bai Dad adre. Doedd o byth ar ddeiet.

'Dwi angen colli dau bwys.'

Cyfeiriais at y bwyd o'i blaen gan wybod ei fod yn ddewis da.

'Salad. Tiwna.'

Anwybyddodd eto.

'O't ti'n gwbod bod deugain calori mewn *un* llwyaid o *olive oil*?! Ugain! Mewn *un* llwyaid! *UN*!'

Wrth geisio cyfleu syndod, roedd ganddi'r duedd i ailadrodd a gorbwysleisio gair.

Dyma frawddeg oedd yn cyfleu cyfrolau amdani oherwydd roedd hi'n bur amlwg ei bod Hi *hefyd* yn cyfri calorïau ond efallai ddim mor fanwl, a chystal, â fi. Nid bod angen iddi gyfri calorïau. Gas gen i gyfaddef, ond roedd ganddi gorff eitha siapus. Eitha. Am ei hoed. Ond ddim cystal â Hi rhif 2 dros ffordd. Roedd ei thin Hi braidd yn fawr, ei chluniau'n magu braster a'i bronnau dybl-C cyp wedi cychwyn ar eu taith tua'r de. Isaac Newton a'i theori am ddisgyrchiant oedd, ac yw, hunllef gwragedd canol oed!

'Ble mae dy fwyd *di*?'

Synnais ei bod wedi sylwi.

'Mi fytais yn gynharach,' atebodd Miss Pinnochio. Roedd y celwydd a'r twyllo'n rhwydd. Yr unig beth roedd rhaid imi ei wneud oedd meddwl am reswm neu esgus i beidio bwyta yr un amser â hi. A gan nad oedd Hi'n cymryd fawr o sylw ohona i beth bynnag, gallwn fod wedi rhaffu sawl celwydd noeth:

'Mae'r tŷ ar dân.'

'Mae corff wedi'i ddarganfod yn yr ardd gefn.'

'Mae Tad-cu a Mam-gu yn gofyn sut wyt ti.'

Bu Tad-cu a Mam-gu farw mewn damwain car erchyll flynyddoedd cyn fy ngeni. Mewn Honda, sy'n eironig o gofio bod Taid – a oedd yn ddi-Gymraeg – wedi dweud wrthi Hi un tro, '*I will never be seen dead in a Japanese car, not after the way they treated my father in the war.*'

Doedd Hi'n amau dim. Ar ôl ei goginio, byddwn yn taflu'r bwyd ar blât cyn ei roi mewn bag, rhoi'r bag yn y bin – yn y gwaelod, wedi'i guddio dan bapurau – a gosod y plât budr yn y bowlen olchi llestri. *Voilà!* Ac wedyn, ar ôl cyflwyno'i bwyd iddi, byddwn yn diflannu o'r stafell gyda'r un hen gwestiwn yn adleisio ar fy ôl:

'Ble ti'n mynd?'

A'r un hen ateb:

'Llofft.'

Cyn yr un hen sylw miniog:

'Ti'n byw yn y llofft 'na! Byw 'na! Ti'n 'y nghlywed i? Wastod yn dy blydi lofft! Ar ben dy hun. Dyna pam 'sgen ti'm ffrindiau.'

Do'n i byth yn trafferthu ei hateb.

'Ti'n 'y nghlywed i, Madelyn? Ti'n gwrando arna i?!'

Yna mi fyddai'n arllwys gwin arall i'w gwydryn gwag, a boddi mewn hunandosturi.

hunan-dwyll

Mae mêl yn iawn i'w fwyta ar ôl bod mewn pot am 3,000 o flynyddoedd!

Pwyso'n hunan oedd uchafbwynt ac isafbwynt fy niwrnod. Datblygodd yr arferiad i fod yn un o bwys. Y weithred hon – rhyw ddeg gwaith bob dydd – oedd canolbwynt fy mywyd. Yn y cosmos calorïau, y glorian oedd yr haul. Roedd mynd i fy stafell i bwyso fel mynd i gapel neu eglwys – roedd rhyw naws ysbrydol, 'grefyddol' i'r profiad – a'r glorian sanctaidd oedd fy allor. Ar honno ro'n i'n gweddïo. Ac roedd trefn a phatrwm i'r 'gwasanaeth' – tynnu fy nillad, pob cerpyn, ac yna'r watsh, y clustdlysau a'r fodrwy. Mae popeth yn pwyso. A do'n i byth yn addoli ar ben fy hun. Roedd Llais yno i gefnogi neu ddwrdio, i godi calon neu iselhau fy ysbryd. Roedd hi'n cofio, yn rhy dda, sawl pwys ro'n i wedi'i golli neu ennill. Doedd dim yn well na chael cyfle i ddweud wrthi ferch fach mor dda o'n i.

'Pedwar pwys?'

'Pump,' cywirais.

'Mewn faint?'

'Wythnos.'

'Dŵr. Yfa *un* peint o ddŵr ac mi fydd y pwysau yn ôl.'

Gallai Llais fod yn hen ast sinicaidd.

'Paid â malu cachu!'

'A phwyso *mwy* nag o't ti cynt.'

'Ond mae hynny'n —'

'*A* ti wedi twyllo,' meddai, gan dorri ar fy nhraws.

'Pryd?' gofynnais, gan fethu â chuddio fy euogrwydd.

'Cymryd ugain *laxative*!'

'Tydi hynna ddim yn *dwyll*!'

'Hwnna yw'r twyll mwya ohonyn nhw i gyd. *Hunan*-dwyll.'

Doedd hynny ddim yn deg. (Oedd o?)

'Ti'n siarad trwy dy din ... MAWR!'

'A ma dy din mawr di'n un sensitif a phoenus ar ôl yr holl *laxatives* 'na !'

Roedd ffraethineb Llais yn gallu pigo'r gydwybod, ac roedd y gwir yn brifo. Mi ro'n i wedi dechrau llyncu *laxatives* fel pe baen nhw'n Smarties. Hoffais y teimlad wrth iddyn nhw doddi y tu mewn i mi gan wneud i mi deimlo'n wag a bodlon. Ugain o'r tabledi bach brown ac mi roedd y byd fel pe bai'n troi o fy nghwmpas *i*, a fi'n unig.

Gwyddai Llais yn union sut i gorddi'r dyfroedd, a chael pleser sadistaidd o wneud hynny.

'Mae Hi'n iawn – 'sgen ti'm ffrindiau.'

'Dwi'm eisio ffrindiau.'

'Haws twyllo pan 'sgen ti'm ffrindiau,' meddai, cyn fy efelychu'n blentynnaidd a chiaidd. '*Sorri, fedra i'm dod i dy barti pen-blwydd di. Mam yn wael.*'

Trueni nad oedd Hi.

Partïon. Pen-blwyddi'n bennaf. Ac yn anffodus roedd pob Abi,

Amy ac Anni'n cael un o'r rheini bob blydi blwyddyn. Ac er nad oedd gen i'r un ffrind agos, roeddwn yn cael nifer o wahoddiadau. Dyna un o'r anfanteision o fod yn rhan o gymdeithas ddosbarth canol – y cwrteisi ffug – cymdeithas lle'r mae'r geiriau 'plis' a 'diolch' yn cael eu hyngan yn gwbl ddiystyr. Golygai mynd i bartïon fy mod yng nghanol bwyd, diod a themtasiynau melys. A doedd dim modd osgoi merched tenau mewn partïon; y giwed honno oedd yn gwneud fy mywyd yn uffern ar y ddaear. Byddai bod yn eu mysg yn waeth nag aros yn y tŷ gyda bocs mawr o siocledi neu dwb anferth o hufen iâ (yn enwedig yr un hufen dwbwl o Gernyw). Yr unig le ro'n i'n gwbl gyffyrddus oedd yng nghwmni rhywun tewach na fi.

'Drychwch pwy sy'n eistedd yn y gornel ar ei phen ei hun bach – Miss Piggy!' chwarddodd Llais, cyn ailadrodd ei thiwn gron, 'Ti'n byw celwydd!'

'Dwi'n byw fy MYWYD!' atebais, yn ddigon uchel i ddeffro mynwent.

'Wyt ti? A dy fywyd yn wag ... dim ffrindiau?!'

Fy nhro i oedd dynwared.

'*Dim ffrindiau, dim ffrindiau!* Sawl ffrind mae rhywun eisio?! Sawl ffrind mae rhywun ei *angen*?!'

'*No woman is an island,*' dyfynnodd Llais, gan baradïo John Donne, a meddwl ei bod yn uffernol o glefer. Mae dwy ffordd o ymddangos yn glefer; dyfynnu o weithiau clasurol, a gwisgo sbectol. Anwybyddais yr ast wirion. Pam ddylwn i ddadlau a minnau'n gwybod eisoes fod gen i ormod o ffrindiau – dros ddau gant ar Facebook, saith gant ar Twitter a thri chant ar Instagram.

Safodd Llais tu ôl i mi a gosod ei phen ar fy ysgwydd, gan wneud i mi edrych fel pe bai gen i ddau ben.

'Eeee, we're more popular than Jesus!' meddai, gan adleisio llinell enwog John Lennon.

'Ond faint o'r rheini ... y 'ffrindiau' hynny ... hoffwn i dreulio awr, dim ond *awr* yn eu cwmni?!'

Agorodd Llais y gliniadur, wrth i mi gario ymlaen i boeri rhesymau pam o'n i'n dewis bod yn ddi-ffrind.

'A faint ohonyn nhw dwi'n ei nabod ... heb sôn am eu *had*nabod?!' (Mae *adnabod* yn berthynas llawer mwy clòs na *nabod*.) 'Faint o ffrindiau alla i eu ffonio am bedwar yn y bore, ar ddydd Llun gwlyb, gyda phroblem i'w thrafod, a ma nhw'n galw draw i 'ngweld efo gwên ar eu hwynebau? Mae'n well gen i eistedd yn fan'ma, fy hun, yn fy mhyjamas, yn y tywyllwch, yn gwylio bocs set *o Ally McBeal*, neu *Fat Friends*, neu ...'

'*My Fat Diary?*'

'O, ti mor ddoniol!' meddwn yn sarhaus.

'Dim ond mor ddoniol â chdi!'

Gorffennais fy araith. 'Dwi'm angen lot o bobl yn 'y mywyd. Caru llai er mwyn caru mwy.'

Pwyntiodd Llais at sgrin y gliniadur a darllen:

'Ast dew! Ast hyll! Does ganddi ddim ffrindia!'

Ro'n i'n cael fy mwlio'n ddidrugaredd ar-lein. Gafaelais yn y teclyn a'i gau'n glep.

'Dwi'n eu casáu nhw! CASÁU nhw!'

Taflais y gliniadur o'r neilltu, gorwedd ar fy ngwely, a chrio. Yr eiliad honno, roeddwn angen ffrind.

bradwr

Wrth gysgu, mae'r corff yn llosgi 0.42 calori bob awr am bob pwys. Felly, pan dwi'n pwyso 5 stôn (70 pwys), dwi'n llosgi 29.4 calori bob awr.

Mae'r rhan fwya ohonon ni angen ffrind a chariad. A swydd bleserus, un sy'n cicio rhywun o'r gwely yn y bore gan addo diwrnod boddhaol arall. Rydan ni hefyd angen rhywle a rhywrai i greu'r hyn y gellir ei alw'n 'gartref'. Ond be mae rhywun yn ei wneud pan does dim 'cartref', dim un y byddai rhywun yn ei ddisgrifio fel un 'traddodiadol'? Neu beth pe bai rhywun wedi cael a phrofi 'cartref' ond sydd – am ba bynnag reswm – wedi'i golli? Sut mae rhywun yn mynd ati 'i chwilio am ystyr' yn ddigartref? A sut mae'n bosib codi ac aros ar ei draed pan mae Bywyd yn mynnu cadw rhywun ar lawr a'i gicio?

Croesi traeth yw Bywyd, yn ôl y bardd Gwyn Thomas. Ar ôl cael eich geni, y peth gorau i'w wneud yw croesi bysedd!

Roeddwn i'n gweddïo (nid yn llythrennol, achos dwi ddim yn credu yn Nuw, yng Nghrist, yn y Beibl) y byddai Hi yn dechrau *byw*. Do'n i jest ddim yn deall beth oedd yn mynd ymlaen yn ei phen. Pam treulio oriau bob dydd yn syllu trwy'r ffenest neu'n glanhau fel rhywun o'i chof? Efallai, fel y tybiais eisoes, mai ei hoed *oedd* y rheswm. Ei phumdegau. Ond darllenais yn rhywle (yn un o'i chylchgronau Hi, debyg) mai'r pen-blwydd yn bedwar deg yw'r bwgan mawr; dyna pryd mae dynes yn sefyll wrth gât canol oed ac yn syllu trwyddi gan wneud ystumiau. Dylai cyrraedd y pum deg fod yn nefoedd; mae rhywun eisoes wedi cerdded trwy'r gatiau ers blynyddoedd a bellach yn dawnsio trwy gae o flodau amryliw. A gydag oed daw hunanhyder. Does dim rhaid ymddiheuro wrth neb am ddim; mae'n haws dweud 'Na' heb orfod rhoi rheswm ac mae hynny'n creu ymdeimlad o ryddid. Ffarwél i feddwl am esgusodion tila, a helô i 'ddweud-hi-fel-y-mae-hi' yn gwbl ddiflewyn-ar-dafod. 'Sorri, alla i ddim', a dyna'i diwedd hi.

Ceisiais ddweud fy mhregeth wrthi Hi, ond disgynnodd fy had ar dir caregog. Roedd ei pharanoia'n gwaethygu, yn enwedig pan oedd Dad i ffwrdd.

Hi: Ydy o 'di cysylltu efo chdi?

Fi: Pwy?

Hi: Dy dad! Pwy arall?!

Fi: Pryd?

Hi: Heddiw! Ydy o 'di cysylltu efo chdi *heddiw?*

Oedais. Ro'n i eisio bod yn unigolyn rhydd, ac un ffordd o fod yn rhydd yw trwy allu mynegi'n hun yn onest. Edrychais i lawr, osgoi ei llygaid, gan wybod beth fyddai ei hymateb.

Fi: Do.

Hi: Pryd?

Fi: Amser cinio?

Dwn i ddim pam roedd fy ngosodiad yn swnio fel cwestiwn. Efallai 'mod i'n gobeithio y byddai'r amwysedd yn gwneud y gwir yn haws i'w dderbyn.

Hi: Sut? Ffôn, e-bost, tectst, *Skype?* **SUT?!**

Fi: Tecst.

Aeth ei cheg yn sych fel cesail camel wrth i'r geiriau fynd yn syth i'w chalon, gan achosi'r mymryn lleia o atal dweud.

Hi: A ... a be ddeudodd o?

Fi: Dim byd o bwys —

Hi: BE DDEUDODD O?!

Roedd eiddigedd yn ei bwyta.

Fi: 'Run peth ag arfer. Ei fod o'n 'y ngharu i.

Allwn i ddim fod wedi rhoi mwy o boen iddi pe bawn wedi'i thrywanu â phicwarch.

Hi: Dy garu di ...

... meddai'n dawel wrthi hi'i hunan, ei llygaid mor llonydd â physgodyn marw.

Hi: Dio'm 'di cysylltu o gwbl efo fi. Dim ffôn, e-bost, tecst, *Skype*.

Trodd ac edrych arna i, yn ymbil am ateb.

Hi: Pam? Dwed wrtha i. Pam?! Pam ei fod o wedi cysylltu efo'i ferch ond ddim efo'i wraig? Be mae o'n 'i neud i ti fel *tad* dydw i ddim yn ei neud i ti fel *mam*?!

Allwn i ddim mo'i hateb, yn onest nac yn anonest. Rhedais nerth fy nhraed i loches fy llofft, ei gwaedd olaf yn adleisio trwy'r tŷ.

Hi: Ateb fi! Ti'n 'y nghlywed i?! ATEB fi, Madelyyyyyn!

Caeais y drws yn glep ar fy ôl, cyn i Llais fynnu 'mod i'n blogio.

BLOG:

Brecwast: llond llwy o *fuesli*.

Cinio: hanner tun o diwna.

Swper: letys, hanner tomato, dim cnau, dim *carbohydrates*.

Gosododd Llais y drych o 'mlaen.

Bellach, dwi yr hyn dwi'n ei fwyta, meddyliais. *Bwyd yw fy hunaniaeth.* Ac roedd hunaniaeth yn anodd i'w chanfod yn tŷ ni.

'Sawl gwaith dwi wedi dweud wrthat ti am beidio gwisgo'r ffrog 'na,' meddai Hi, gan edrych arna i fel pe bawn yn lwmp o gachu ci dan ei sawdl. 'Tydi hi ddim yn siwtio rhywun *pear shaped*. Gneud i dy din di edrych yn fawr.'

Mwy nag ydy o'n barod?

'A be am y sodla! Alli di ddim gwisgo sodla efo coesa byr! Wnes *i* 'rioed mo hynny! Be ma pobl yn feddwl dwi 'di fagu? Ti'n edrych fel tramp wedi menthyg siwt!'

Neu rywun wedi dod o gnebrwng ar gefn moto-beic?

'Neu rywun wedi dod o gnebrwng ar gefn moto-beic!'

Roedd Hi bob amser yn gwybod beth oedd orau i mi.

'Dyma sy orau i ti. Dyma ti'n mynd i'w neud ...'

... bob blydi diwrnod, fel tiwn gron.

'Wnes i 'rioed wisgo fel'na! Ti'n 'y nghlywed i? Ti'n gwrando arna i?!'

Ro'n i'n sefyll unwaith eto ger ymyl y dibyn, a Hithau'n fy ngwthio'n nes ato.

'Fi! Fi! Blydi *fi*!' sgrechiais, cyn chwalu'r llestri oddi ar y bwrdd bwyd.

Saib. Am eiliad, roedd y ddwy ohonon ni mewn sioc. Ond ddim ond am eiliad. Syllodd y ddwy ohonon ni'n herfeiddiol ar ein gilydd. Edrychodd Hi ar y llestri'n deilchion ar lawr. Doedd ei merch ddim wedi malu platiau fel hyn o'r blaen, ddim wedi dangos y fath rwystredigaeth.

Edrychodd yn fileinig arna i, ei chwerwder ym mhob sill.

'Merch dy dad wyt ti, o'r diwrnod gest di dy eni.'

Ni allwn anghytuno. Merch fy nhad o'n i. Ond nid *bob* tro.

Daeth adre o'i daith dramor nos Wener. Fel arfer mi fyddai'n dod i mewn trwy'r drws ac yn anelu'n syth tuag ata i, ei freichiau'n agored, yn barod i roi cusan a chwtsh i mi. Ond nid y nos Wener honno. Clywais yr allwedd yn troi yn y drws a rhuthrais i lawr y grisiau i'w gyfarch.

'Madi,' meddai, fel pe bai'n cadarnhau mai fi oedd hi. Gollyngodd ei fag lledr ar y llawr glân, tynnodd ei gôt a'i gosod yn dwt ar y bachyn arferol. Yna, trodd ac edrych arna i'n ddi-wên.

'Ni'n dou angen tsiat fach, on'd y'n ni?'

Tsiat fach am beth? Hi?

Camodd heibio'n ddigusan i'r gegin i wneud paned. Dyna mae pob dyn cyffredin, traddodiadol yn ei golli fwya ar ôl bod dramor – paned o de. Roedd ei ymddygiad a'i agwedd oeraidd yn ddieithr. Beth o'n i wedi'i wneud, neu ei ddweud? Roedd ein sgwrs olaf dair noswaith yn gynt wedi bod yn un hwyliog – ef yn edrych ymlaen i 'ngweld i, a minnau'n edrych ymlaen i'w weld o. Yna, cofiais ei bod Hi wedi bod ar y ffôn gyda Dad yn gynharach y noson honno ac yn amlwg wedi dweud rhywbeth wrtho, a'i wenwyno.

Achwyn amdana i am falu'r llestri. Be arall?

O gwmpas y bwrdd swper roedd yr awyrgylch yn normal. Dad yn bwyta'i fwyd, Hi yn pigo ar ei bwyd, a minnau'n slei bach yn rhoi'r bwyd mewn bag yn fy mhoced gudd, ddofn. A dim gair yn cael ei yngan ... heblaw'r gras. Ceisiais ddenu ei sylw er mwyn chwarae ein gêm fach ni – gêm o ddynwared ystumiau – un doedd Hi ddim yn ymwybodol ohoni. Roedd hi'n cychwyn gyda Dad yn wincio arna i a'r ddau ohonon ni'n gwenu'n gyfrinachol ar ei gilydd. Yna, byddai'n pinsio gwaelod ei glust rhwng bys a bawd cyn llithro'i fys i lawr ei foch a'i osod yn ei geg, a minnau'n ei ddynwared pob cam o'r ffordd. Trwy wneud hynny ar yr un pryd, roeddan ni'n cadarnhau ein bod ar yr un donfedd. Ond doedd dim gwên na gêm y noson honno.

Ar ôl gorffen pob tamaid, yn ôl ei arfer, rhoddodd ei gyllell a'i fforc yn dwt ar ei blât a thynnu fy adroddiad ysgol o'i boced cyn ei osod yn gadarn ar y bwrdd.

'Y canlyniade hyn.'

Penderfynais mai ymosod oedd y ffordd orau i amddiffyn.

'Dwi'n neud fy ngorau.'

'Dy ore ddim digon da, ody e?'

'Dwi'n neud fy *ngorau*,' pwysleisiais, gan ddechrau cicio a brathu.

'Wyt ti?'

'Yndw!'

Feddyliais i erioed y byddai dweud celwydd wrth Dad yn rhywbeth mor rhwydd a naturiol i'w wneud. Y gwir oedd bod gwaith ysgol bellach yn beth eilradd i'r rheoli pwysau, a oedd bellach yn meddiannu pob eiliad o 'mywyd bob dydd.

'Gweud man hyn bo' ti ddim yn neud dy waith cartre, ddim yn cwpla prosiecte, a bo' ti'n absennol o wersi.'

Byddai'n haws egluro pam o'n i'n malu platiau, fel Groegiwr mewn gwledd briodas. Gyda Hi'n mwynhau pob eiliad, parhau wnaeth y cerydd.

'Pwy mor hir wyt ti'n bwriadu cario 'mlan fel hyn, 'da dy fam a finne'n goffod cico dy din di trw'r adeg?'

Ond doedd o, na Hi, erioed wedi trio cicio 'nhin i cyn hyn. Hwn oedd eu hamddiffyniad nhw, eu ffordd o dawelu eu cydwybod am fod yn rhieni esgeulus.

'Alli di ddim â whare plant am *byth*, ti'n deall? Ti'n beder ar ddeg oed. Mae 'da ti gyfle i neud rhywbeth 'da dy fywyd. Wyt ti'n mynd i dowlu'r cwbl bant?'

Adleisiais frawddeg amlwg, ei frawddeg *o*.

'Jest gad fi fod!'

Dyna'r tro cynta erioed imi godi'n llais ar Dad. Edrychai fel pe bai wedi cael ei frifo i'r byw. Ymbwyllodd.

'Wy ... *ni* ... dy fam a finne ...'

Pa 'ni' arall oedd 'na?!

'Ni moyn iti baso dy arholiade a mynd i goleg. Coleg prifysgol. Ac os o's *raid*, allwn ni drefnu gwersi preifet iti, cael tiwtoried i ddod i'r tŷ a ...'

'Oes unrhyw un ohonoch chi wedi gofyn i mi a ydw i ... *fi* ... eisio mynd i goleg ... i goleg prifysgol ... neu i unrhyw blydi coleg?!' Yn ôl ei harfer Hi, rhegais er mwyn pwysleisio.

'Nid dy benderfyniad di *ydy* o ... *fydd* o,' meddai Hi, wedi dod o hyd i'w thafod.

'O? A phenderfyniad pwy yn union ydy o ... *fydd* o ...felly?' adleisiais, gyda joch go dda o sarhad. Anwybyddodd Dad ei chyfraniad digroeso.

'Ei di ddim yn bell dyddie hyn heb addysg dda, *Honeybunch*, a —'

'**MADI!** Madi ydy'n enw i!' Edrychais ar y ddau'n eu tro. 'Ti'n 'y nghlywed i?! Ti'n gwrando arna i?!'

Ymbwyllodd Dad yr eildro, cyn penderfynu beth fyddai fy nyfodol.

'Lefel A. Coleg. Gradd. Swydd dda. Teulu. Plant. 'Na beth ni'n dou moyn. Dy fam a finne. Dim nawr, falle, ond pan fyddi di'r un oed â ni, ac yn dishgwl yn ôl ar dy fywyd, byddi'n di'n ddiolchgar i ni.'

'*Et tu, pater?*' meddwn, gan atgoffa'r ddau fy mod wedi cael marciau da yn Lladin a Chelf, y ddau bwnc ro'n i'n wirioneddol fwynhau.

Rhedais i fy stafell, edrych yn y drych a darbwyllo'n hun y *bydd* Bywyd yn ocê. Alla i fyw'n berffaith hapus yn y byd fel fi'n hun. Does dim 'iawn' a 'ddim yn iawn' mewn bywyd a chariad a pherthynas, dim arwyr a dihirod, dim ond pobl a'u dyheadau hunanol yn gwrthdaro yn erbyn ei gilydd. Un egwyddor sydd gen i mewn bywyd, un arwyddair: mae'r gwir bob amser yn gymhleth.

Dyna pryd y newidiodd y timau yn tŷ ni. Bellach doedd Dad ddim yn fy nhîm i. Ac yr oedd brad ym myw ei lygaid.

bol buwch

Os wnewch chi fwyta llawer o foron, mae eich croen yn troi'n lliw oren. Ond ni fyddwch yn gallu gweld yn well yn y tywyllwch!

Ro'n nhw o 'nghwmpas i. Ym mhobman. Amhosib cael gwared ohonyn nhw. Y cyfryngau, y cyfryngau cymdeithasol a bellach fy rhieni – fy rhieni fy hun – yn pwyntio bys, yn beirniadu, ac yn trefnu 'mywyd. Dechreuais amau fod rhieni yn mynd ati'n fwriadol i ddifetha a dinistrio bywydau eu plant trwy eu llenwi gyda'u holl wendidau cyn taflu un neu ddau arall i'r pair er mwyn sicrhau bod bywyd y plentyn mor shit â phosib.

Tydyn nhw jest ddim yn fy neall i.

Ro'n i eisio i bawb fy ngweld i fel *fi* – *fi*, nid y ferch oedd yn llwyddo, neu ddim yn llwyddo, yn yr ysgol. A beth bynnag, *do'n* i ddim yn aflwyddiant, yr un fwya twp yn y dosbarth. Ro'n i'n gwneud yn iawn ... yn *dda*. Ddim yn *wych*, ond yn dda. Ac yn gwneud yn dda am fod yr hyn o'n i, sef fi ... Madi.

Yr unig rai oedd yn *agos* i'm deall oedd aelodau mudiad Pro-Ana (byr am *Pro-Anorexia*) – casgliad answyddogol o flogs a gwefannau sy'n rhoi cyfle i'r rheini ohonon ni sy'n parchu'n cyrff i gyfathrebu, cyd-drafod a chefnogi'n gilydd yn ein brwydr yn erbyn rhieni sy'n mynnu gorlenwi ein stumogau ddydd ar ôl dydd. *Starving For Perfection, 2b-Thin* ac *Anorexia Nation* ar y we oedd yn barod i wrando pan oedd angen clust. Roedd yr aelodau (er nad ydyn nhw'n fudiadau swyddogol gydag aelodaeth swyddogol) yn cydnabod bod gan bobl fel fi ffordd o fyw naturiol a chwbl dderbyniol.

Agorais y gliniadur a darllen:

'Sorri. Dwi wedi bwyta *cream cracker* ond dwi wedi cymryd deg *laxative*.' Amy, deg oed.

'Wy'n bwyta tri pryd y diwrnod ond wy byth yn cymeryd mwy na hanner cant o galorïau.' Tina, deuddeg oed.

'Alla i beidio bwyta am ddau neu dri diwrnod a byw 'mywyd heb unrhyw broblem o gwbl.' Bethan, pedair ar ddeg oed.

Heblaw Llais, rhain oedd y pethau agosa oedd gen i at ffrindiau. Ystyriais adael Facebook oherwydd roeddwn i'n cael llawer gormod o amharch a sarhad a ... shit felly.

'Af ati i greu fy ngwefan fy hun,' dywedais wrth Llais. 'Wedyn, mi alla i stopio'r bastards twp, tew, eiddigeddus rhag rhoi'r gyllell yno' i.'

Ond ailfeddyliais. Byddai hynny'n gwadu pwy ydw i ac mi fyddan nhw'n ennill. A doedd colli ddim yn opsiwn. Felly penderfynais gadw at y *status quo*. Nid yw newid bob amser yn beth da. Magu asgwrn cefn a chroen fel eliffant a derbyn beth bynnag a ddaw – dyna oedd yr agwedd. Ond dechreuodd pwl o unigrwydd fy lladd unwaith yn rhagor. Sylweddolais fy mod rhwng dwy stôl – un rhan ohona i eisio bod yn ddigon pell o gartref, a'r rhan arall yn gwybod bod *rhaid* i mi aros oherwydd yn fan'no ro'n i'n saff. Teimlais fy mod yn fyw ac yn farw i'm rhieni, a hynny ar yr un pryd. Yn *arbennig* o farw iddi Hi, a oedd yn dal i fwydo'i hobsesiwn.

'Torheulo yn yr ardd ffrynt ddoe,' gwaeddodd o'i gorsedd. 'Pawb yn ei gweld hi. Gwisgo bicini. Top a'r gwaelod ddim yn matsio. Ydy hynny'n ffasiynol dyddia yma?'

Wnes i'm trafferthu i'w hateb. Y gwir oedd do'n i ddim yn *gwybod* yr ateb; mae ffasiwn merched yn newid mor aml!

'Mae hi 'di dechrau magu pwysau,' fyd. Amau bod ganddi *bingo wings*. Ti wedi gweld hi? Ty'd yma i'w gweld hi.'

Saib, cyn y cwestiwn byddarol:

'Be wyt ti'n ei neud yn y llofft 'na, Madelyn? Ar ben dy hun ... dim ffrindia ...'

Darlunio. Dyna ro'n i'n ei wneud. Llenwi'r dudalen a'r cynfas gwag. Bod yn greadigol, a hynny'n rhoi pleser oherwydd mae o'n rhywbeth y galla i ei wneud, a'i wneud o'n dda. Taro pensil neu feiro neu frwsh ar bapur yn rhoi hyder i mi, yn tanio brwdfrydedd ac yn ffordd o ddad-wneud y clymau tu mewn i'r pen. Cefais fy nylanwadu gan y peintiad *The Scream* gan Edvard Munch a'r sgrech ingol, ac efelychais arddull Lowry, ei bobl yn ei beintiadau yn ysgerbydol o denau. Do'n i ddim yn dangos teimladau'n aml; gwell oedd cadw'r rheini'n fewnol, mewn rhyw gorlan glyd yng nghornel y pen. Ond os – *pan* – oedd angen dangos teimlad, gallwn wneud hynny ar y dudalen wag ym mhreifatrwydd fy llofft. Iddi Hi, dyna oedd pwrpas cael 'ffrindiau'. Ond pan – *os* – oedd rhywun yn dod yn rhy agos, ro'n i'n eu gwthio i ffwrdd er mwyn gwarchod fy nghalon. Dychmygais fod wal wedi'i hadeiladu rhyngddo i a phawb arall, un anodd iawn i'w dymchwel. A phan oedd Hi'n gweiddi o waelod y grisiau, 'Dwi ddim am ofyn eto, be wyt ti'n ei neud i fyny'n fan'na?', gwyddwn fy mod yn gwneud be o'n i *eisio*'i wneud, yn *gorfod* ei wneud. Fel gorfod cadw llygaid craff ar fy mhwysau.

'Dau bwys? Ti wedi colli dau bwys?' gofynnodd Llais yn gyffrous.

'Tri!' atebais, hyd yn oed yn fwy cyffrous, cyn nodi'r ffaith yn fy Nyddiadur Deiet newydd. Yn hwnnw, dechreuais sgrifennu fy meddyliau a'nheimladau, gan gynnwys fy mreuddwydion gwallgof.

Dydd Mawrth. 10 a.m. Wedi cael diwrnod da ddoe. Un Ryvita, dau domato bach a darn o dost, heb fenyn!

Pe bai medal i'w chael am golli pwysau, byddai'r un aur yn hongian o amgylch fy ngwddwg. Pwmpiai'r adrenalin trwy 'ngwythiennau, fy mol gwag yn rhoi rhyw egni rhyfeddol i mi. Ro'n i'n byw ar y gwynt ond yn teimlo'n effro, yn gryf. Gallwn wneud *unrhyw* beth.

'Wy moyn i ti fynd i goleg; wy moyn iti lwyddo. Paid â'n siomi i,' adleisiodd llais Dad yn fy mhen.

Ei siomi? Ers pryd fyddwn i'n meiddio siomi Dad, a hynny'n fwriadol? Ond Dad neu beidio, do'n i ddim am ildio i bwysau seicolegol. Ro'n i'n holliach – doedd dim yn bod arna i, dim o gwbl – ond gwyddwn ei fod o'n poeni amdana i. Awgrymodd fy mod wedi colli gormod o bwysau ac yn edrych yn 'dost'. Disgwyliais iddi Hi droi'r awgrym yn ffaith ond – mwya annisgwyl – ei barn Hi oedd fy mod i'n ferch yn fy arddegau, a dyna mae merched yn eu harddegau'n ei wneud, colli pwysau.

'Chwarae teg iddi,' meddai Llais. 'Falla fod mymryn o dda'n perthyn iddi.'

Roedd Llais a minnau'n agosach nag erioed. Er nad oeddan ni'n cytuno ar bopeth (o bell ffordd), mi gytunon ar un peth yn bendant, sef bod bywydau pawb arall yn uffernol o ddiflas. Roedd pawb yn byw mewn rhigol a phatrwm. Deffro, bwyta, gweithio, bwyta, cysgu. A dyna lle ro'n i mor wahanol. Ro'n i'n deffro ac yn *peidio* bwyta, dewis gweld y byd trwy sbectol wahanol gan gadarnhau yr hyn ro'n i wastod yn ei wybod, sef 'mod i'n unigryw. Mentrais ddweud hynny wrthi Hi.

'Ha! Ti'n meddwl bo' ti'n blydi sbesial, wyt ti?' atebodd, cyn rhedeg ei bys ar hyd y silff ben tân er mwyn chwilio am lwch.

O'n. Mi *ro'n* i'n meddwl 'mod i'n 'blydi sbesial'. Do'n i ddim fel pawb arall. Do'n i ddim yn 'normal' (beth bynnag yw hynny). Roedd gen i nerth tu mewn i mi. Gallwn reoli ... ia, *rheoli* fy nghyrff. Do'n i'm eisio i Dad ddweud 'mod i'n 'dost'. Pobl eraill oedd yn sâl, pobl fel Hi. Ro'n i uwchlaw pob dim. Gallwn sefyll ar ymyl y dibyn, edrych i lawr, neidio a hedfan! Pwy oedd angen cyffuriau yn fy nghyflwr i?

Yn lloches fy llofft, sefais yn noeth o flaen y drych.

'Ti'n edrych yn grêt,' dywedodd Llais, gyda llygaid llym, beirniadol.

'Yndw, dwi'n gwbod,' atebais yn hyderus (a gwylaidd!).

'Jîns ffab. Pa faint?'

'Pedwar.'

'Ti'n edrych yn GRÊT!'

Roedd dwy lygad yn syllu'n ôl arna i mewn syndod pleserus. Sylwais ar fy jîns yn hongian o gwmpas fy nghoesau, mor llac o gwmpas fy nghanol fel bod rhaid imi wisgo tri phâr o deits *a* phâr o legins oddi tanyn nhw er mwyn eu cadw rhag llithro at fy mhengliniau. Byseddais fy asennau, fel syrffio dros nodau gwyn piano. Teimlais asgwrn fy nghluniau'n pwnio trwy fy nillad, fy stumog yn ogof, fy mhenelin yn siarp fel rasel a'r breichiau'n llyfn. Doedd hyd yn oed fy nicyrs ddim yn ffitio, yn llac fel clwt babi am fy nhin bach.

'Waw!' Am y tro cynta ers misoedd, roedd Llais yn hapus.

Do'n i ddim yn edrych yn real, rhywsut. Edrychais fel rhyw greadur o fyd ffantasi sy'n byw yng ngwaelod yr ardd gyda'r tylwyth teg. Difethwyd yr eiliad gan Llais.

''Sgen ti ofn marw?'

Roedd adegau pan oedd gen i ofn marw. Ond gwyddwn na fyddai hynny'n debygol o ddigwydd oherwydd ro'n i'n teimlo'n saff ar ymyl y dibyn, ac yn gallu edrych i lawr – reit lawr i'r gwaelodion – yn *gwybod* na fyddwn i'n baglu ac yn syrthio.

Clywais Dad yn amau hynny, yn ystod un o'u dadleuon cynyddol.

'Wy jest yn credu bo' hi wedi colli gormod o bwyse.'

'A dwi'n meddwl bod ei phwysau hi'n iawn.'

'Credu dylen ni gael gair 'da hi.'

'A deud be'n union?!'

'Ffeindo mas os o's rhywbeth yn ei becso hi.'

'*Teenager* ydy hi. Ma pob blydi dim yn 'i 'becso' hi! Ti'm yn cofio bod yn styfnig, yn bengaled, taeru bod du yn wyn a gwyn yn ddu, eisio bod yn annibynnol, am newid y byd?!'

'Jest gobeitho bo' ti'n iawn.'

Roedd bai ar Dad. Dylai fod wedi *mynnu* cael gair efo fi. Ond roedd mwy o fai arni Hi am fod yn rhy barod i gau ei llygaid a gwrthod cydnabod yr amlwg.

Golygai hynny bod Dad a minnau'n chwarae llai a llai o gemau gyda'n gilydd, a bu raid i Llais gymryd ei le.

'Dwy *cream cracker* i ginio?! Ar dy gefn!' gorchmynnodd.

'Oes raid i mi?'

'Ar dy gefn!'

Roedd cystadleuaeth ar *Skinny Porn*, gwefan i hen ddynion (a merched?) budr sy'n mwynhau gwylio merched dan chwe stôn. Ac roedd rheolau llym:

Rhaid sicrhau bod dim gormod o fwlch rhwng y cluniau:

'Tic.'

A'r *bikini bridge*.

'Tic.'

Ond y prawf anoddaf i'w basio oedd y Prawf Pensil, sef gosod pensil ar ei phen wrth fy ymyl ac os o'n i'n uwch na'r bensil:

'Dim tic!'

A pan oedd hynny'n digwydd, pan oedd unrhyw beth yn mynd o'i le, roeddwn i'n beio dim ond un peth – fy nghorff. *Rhaid* iddo fod yn fwy siapus.

Dechreuais fynd i'r gampfa'n fwy aml. Nid bod hwnnw'n brofiad pleserus. Cyn gynted ag o'n i'n camu dros riniog y drws ro'n i'n ymwybodol iawn o bob modfedd o 'nghorff ac yn sensitif i bob sill o sgwrs y staff.

'Haia, cariad! Heb dy weld yn fan'ma ers oes, ia!' meddai Tracy, merch y dderbynfa.

'Ro'n i yma ddoe!'

'O't ti? O! *Must 'ave missed you.* Neu ddim 'di recogneisio chdi, ia?'

Ddim wedi fy nabod i? Pam? Ydw i wedi magu pwysau ... ers ddoe?!

'Wela i chdi *later on.*'

Dim os gwela i di gynta, Tracy, efo dy fronnau mawr a chluniau mwy.

Hunllef oedd bod yng nghanol dosbarth o ferched mewn *leotards*, yn enwedig gan fod y rhelyw ohonyn nhw'n denau.

Mwy o gig ar gyllell bwtsiar.

Y broblem gynta oedd penderfynu lle oedd y man gorau i sefyll – yn y blaen, y canol ynteu'r cefn? Yn y blaen, ac mi fydd pob ast yn edrych ar fy nhin. Y canol? A oedd fy nghorff i'n ddigon da i fod yn y canol? Yn y cefn? Mae o'n *rhy* dda i fod yn y cefn – yr hychod tew, bwyta'r-peis-i-gyd ddylai fod yn fan'no. Er, wedi meddwl, mi faswn i'n edrych yn dda wrth ymyl merch dew efo tin fel cefn bws. Ar ôl hir ddyfalu, mentrais i'r canol, er bod fan'no'n fy ngwneud yn nerfus a pharanoid.

'Pam mae honna'n edrych yn flin arna i? Ydw i wedi dwyn ei lle

hi?' cyn sylweddoli mai edrych arni hi ei hunan yn y wal ddrych oedd hi. Amlwg bod ganddi gywilydd o'i chorff.

Dim rhyfedd, meddyliais, *'sa gen i gywilydd hefyd pe bai gen i wisg o saim a braster amdana i ... a cellulite!*

Dyma oedd fy nghyfnod bitshio i! Ac wrth i'r gerddoriaeth egnïol lenwi'r gampfa, edrychais yn wyllt o'm cwmpas er mwyn asesu'r gystadleuaeth.

'*Honna'n denau. Tin crwn a bronnau bach – dim angen bra. Bitsh!*'

'Ugain calori wedi'u llosgi! A oes calorïau?' gwaeddodd Meistres y Ddefod.

Dim ond ugain?! Dwi ddim hyd yn oed wedi llosgi calorïau'r chwarter banana gefais i frecwast!

A bob tro roedd hi'n ogleuo gwendid, roedd Llais yn fy llarpio gyda'i thafod siarp.

'Dychmyga'r holl shit 'na tu mewn iti! Calorïau! Calorïau! Calorïau!' gwaeddodd yn fy nghlustiau.

Wrth i sain a rhythmau'r miwsig gynyddu, cynyddu hefyd wnaeth fy symudiadau wrth i mi ddawnsio'n fwy gwyllt ... dawnsio nes oedd y chwys yn diferu, y corff yn gwanio, y coesau'n crynu, y pen yn ysgafnu, y waliau'n chwipio troi o'm cwmpas, yn chwipio troi yn gynt ac yn gynt ac yn gynt nes ...

Rhoddodd Llais sgrech uchel mewn ofn. Aeth bobman yn dywyll. Mor dywyll â bol buwch.

cwac

Mae gwymon mewn hufen iâ, a 137 calori mewn un sgŵp.
Derbyniais lythyr. Llythyr a gafodd ei basio o'r naill i'r llall fel pe
bai'n cario neges chwilboeth. O'r NHS Eating Disorder Service
at fy noctor, o'r doctor i'r rhieni ac o'r rhieni i'r claf. Fi.

*'Annwyl, Dr Davies. Mae Madelyn Pritchard yn dioddef o anorexia
nervosa.'*

Syth i'r pwynt, chwarae teg; dim mynd o amgylch Sir Fôn i
ddweud ei neges.

*'Mae hi'n honni, ond rwy'n amheus o hynny, ei bod wedi dechrau
colli pwysau ar ôl newid ei deiet.'*

Y bwriad oedd sefyll pedwar pwnc Lefel A, eu pasio, a gadael
y nyth – cyfle i gael fy nhraed yn rhydd o'i chyffion Hi, a chadw
Dad yn hapus ar yr un pryd. Astudiais Ladin, Hanes, Saesneg ac,
wrth gwrs, Celf. Cyfuniadau od, pynciau oedd ddim yn agor nifer
o ddrysau amlwg – yn enwedig Celf a Lladin, os nad oeddwn eisio
swydd fel arlunydd yn y Fatican! Bu cryn drafod – na, dadlau – pa
bwnc ddylwn ei astudio a lle dylwn dreulio tair neu bedair blynedd,
cyfnod sy'n cael ei alw gan sawl un yn 'amser gorau dy fywyd di'.

'Hanes,' meddai Dad.

'Saesneg,' meddai Hi; nid bod fawr o ots ganddi, ond teimlai y
dylai gyfrannu i'r sgwrs.

'Celf,' meddwn innau.

Daethpwyd i gyfaddawd. Hanes Celf, a hynny trwy gyfrwng y
Saesneg. Amser agor y siampên – pawb yn tŷ ni'n gytûn am y tro
cynta yn ein hanes! Ond roedd pasio'r arholiadau'n golygu llawer

o waith – gwaith caled, a delio gyda'r pwysau aruthrol ro'n i'n eu rhoi arna fi'n hun. 'Newid ei deiet'? Pa *ddeiet*? Y pwysau hwnnw *oedd* fy neiet. Roeddwn i *eisio* gwneud yn dda, *angen* llwyddo, ond roedd gan lwyddiant bris uchel.

'Dros y misoedd diwethaf, mae ei phwysau wedi mynd yn is.'

Ni allwn wadu hynny. Doedd fy ffrind, y glorian, mwy na'r camera, ddim yn dweud celwydd, a'r cwbl yn ganlyniad i'r ffaith fy mod i'n mynd i'r gampfa'n amlach (er gwaetha'r profiad hunllefus), yn cymryd rhan mewn mwy o weithgareddau yn yr ysgol, yn gweithio'n hwyr ac yn cael llai o gwsg. Dyna mae colegau prifysgol eisio o fewn eu muriau sanctaidd – unigolion brwdfrydig, crwn a pherffaith. Dyna hefyd mae rhieni ei eisio – plant perffaith.

'Mae hi'n ymwybodol bod ei theulu a'i ffrindiau ysgol ...' (dwy dindrwm!) *'yn poeni bod ganddi broblem a'i bod dan bwysau, ond mae agwedd Madelyn yn ddi-hid ac mae hi'n gwadu ei bod yn dioddef o'r cyflwr.'*

Wrth gwrs 'mod i. Doedd dim o'i le arna i.

'Mae hi'n bwyta llond llaw o All Bran, heb laeth, i frecwast, hanner peint o laeth 'skimmed' i ginio a llawer iawn o de, coffi a Coke weddill y dydd.' (Dylai fod wedi dweud Diet Coke.) *'Dechreuodd ei misglwyf pan oedd hi'n un ar ddeg oed ac roeddynt yn gymharol gyson tan ei bod yn bedair ar ddeg oed.'*

Daeth ton o falchder drosta i wrth ddarllen hynny. Amenhorrea. Llwyddais i'w reoli a methu tri misglwyf yn olynol.

'O ganlyniad i golli mwy o bwysau, awgrymaf fod Madelyn yn cael gofal priodol a sesiynau preifat gyda seiciatrydd.'

Dyna pryd fwrodd y cachu yn erbyn y ffan. Roeddwn wedi fy

nghornelu adre lle gallai pawb a oedd yn dymuno cadw llygad arna i wneud hynny, yn ogystal â holi a busnesu. Gan gynnwys cwacs.

Dr Hardman. Dr Peter Hardman. Dyna oedd ei enw, a hwnnw'n enw'n addas. Seiciatrydd plant. Does dim angen manylu gormod amdano, ond mae llond llaw o ffeithiau am unigolyn fel arfer yn rhoi darlun eitha clir ohono. O Fanceinion yn wreiddiol, wedi dysgu Cymraeg, a hynny'n berffaith. Yn wir, roedd ei Welsh yn well na f'un i. Canol oed, dyn teulu (dwy o ferched yn eu harddegau) ac yn mwynhau cerdded mynyddoedd yng nghwmni ei wraig ffyddlon, Cerys, a'i gi anffyddlon, Bobo. Dyn digon del, gyda llais bariton, melfedaidd. Doedd o ddim y dyn glanaf. Nid ei fod o'n fudr ond sylwais yn syth ar ôl melynwy ar ei dei. A doedd ei swyddfa ddim mor dwt chwaith, gyda gwe pry cop yn rhaffu'r wal i'r nenfwd yn un cornel o'r stafell. Ac arogl llyfrau. Dyna sut o'n i'n gwybod bod hwn yn ddyn clyfar. Nid llwch lli sydd rhwng dwy glust unigolyn sydd ag oglau llyfrau yn ei swyddfa. (Does dim byd gwell gen i na stereoteipio pobl!) Ac felly dyna lle ro'n i'n mynd am gyfnod, at Dr Hardman yn ei swyddfa syml – dwy gadair, desg ledr, bachyn i hongian cotiau a sillffoedd o lyfrau llychlyd. (Mi fyddai Hi wedi mynnu eu dystio.)

Do'n i byth yn teimlo'n orgyfforddus yn ei swyddfa, hynny'n bennaf am fy mod i'n cael fy nghroesholi'n ddiddiwedd, ei lais siocledaidd yn treiddio i'r pen ac yn gallu diarfogi rhywun gyda'i gwestiynu pwyllog a phwrpasol. Nid oedd yn credu mewn gwastraffu geiriau.

'Fyddech chi'n dweud eich bod chi'n bwyta'n normal?'

Eisteddais yn fy nghwman yn ei gadair yn edrych ar y llawr.

Nid yw mor hawdd dweud celwydd wrth edrych ym myw llygad rhywun.

'Baswn.'

'A beth am y gorffennol? Fyddech chi'n dweud eich bod chi'n bwyta'n normal bryd hynny hefyd?'

'Baswn.'

Gair defnyddiol oedd 'baswn', un o'r rheini does dim rhaid ymhelaethu ymhellach ar ôl ei ddweud.

'A dach chi'n berffaith hapus efo'r ffordd dach chi'n bwyta?'

Codais fy mhen a dweud y gwir.

'Berffaith.'

Eiliad o saib. Am eiliad, credais fy mod wedi'i daflu ychydig oddi ar ei echel.

'Dach chi ddim yn bwyta'n gyfrinachol o gwbl?'

Edrychais i lawr.

'Nac'dw.'

'Oes unrhyw aelod arall o'ch teulu y byddech chi'n ystyried eu bod nhw'n ... sut dweda i ... yn *ofalus* ynglŷn â'r hyn ma nhw'n ei fwyta?'

Dewisodd y gair 'ofalus' yn ofalus. Yn fy mhen, clywais Hi'n gofyn:

'O't ti'n gwbod bod ugain blydi calori mewn llwyaid o *olive oil*?'

'Madelyn?'

'Be?'

'Oes 'na rywun arall o'ch teulu yn —?'

'Nag oes. Neb.'

Sgrifennodd rywbeth yn ei lyfr bach du cyn parhau â'i gwestiynu craff.

'Ydach chi'n poeni weithiau eich bod chi'n colli rheolaeth?'

Colli rheolaeth?!

'Ar be?'

'Ar faint dach chi'n fwyta ... neu ddim yn ei fwyta?'

'Dwi'n bwyta'n iawn.'

Ni allwn fod mor derfynol a phendant. Meddyliais fy mod wedi llwyddo i gau pen y mwdwl, ond peth meddal yw meddwl.

'Pan mae rhywun yn dweud wrthych eich bod chi'n denau, ydych chi'n meddwl eich bod chi'n dew?'

'Na. Pam dylwn i?' Cwestiwn agos at yr asgwrn ... mewn sawl ystyr.

'Ond dach chi wedi bod ar ddeiet, medda chi.'

'Fel pawb arall.'

'Pawb arall?'

'Pawb arall o f'oed i,' atebais, gan ddefnyddio ei rhesymeg Hi.

Unwaith eto, doedd dim cau ar ei hen hopran hollwybodus.

'Felly pe bawn i'n gosod platiad o fwyd ... salad, gwedwch ... o'ch blaen, fyddech chi'n ei fwyta?'

Roedd y syniad yn un gwrthun.

'Dibynnu.'

'Ar be?'

'Os oes betys ynddo. Gas gen i fetys. Eu golwg, eu hogla. Neud imi chwydu.'

Ymddangosodd cysgod o wên yng nghornel ei geg, ond buan y diflannodd hi. Gwnaeth un ymdrech olaf i wasgu cyfaddefiad ohona i.

'Ydy bwyd yn rheoli'ch bywyd, Madelyn?'

Edrychais arno'n heriol. Roedd rhaid dod â'r holi i'w derfyn.

'Nac'di.'

Seibiais, cyn ailadrodd.

'NAC'DI!'

Nodiodd ei ben yn araf.

'Ga i fynd rŵan? Amser cinio. Dwi bron â llwgu.'

A gyda fy ngwên sarhaus, daeth y sesiwn i ben.

cyllell boced

Mae gwydraid 8 owns o sudd oren yn cynnwys 22 gram o siwgr a 112 calori. Dim ond 78 calori sydd mewn wy wedi ferwi.

BLOG:

Wedi darganfod deiet newydd, sef deiet mabolgampwyr gymnasteg o Rwsia.

Brecwast – sudd oren

Cinio – salad ffrwythau, sudd oren

Swper – dŵr, afal (Granny Smith)

Dwi wedi colli deuddeg pwys mewn saith diwrnod ac yn teimlo'n grêt.

Ond roedd canlyniad i'r colli pwysau eithafol hwn.

'Be sy'n bod? Gwed 'tho i, i fi aller dy *helpu* di!' Roedd ei lais yn gymysg o bryder ac anobaith.

'Sdim byd yn bod arna i!' atebais, fel tiwn gron.

Chwifiodd Hi *y* llythyr dan fy nhrwyn.

'Dim dyna ma hwn yn 'i ddeud!'

Defnyddiais yr hen dacteg o ymosod er mwyn amddiffyn.

'Am *un* waith yn dy fywyd, pam na nei di ddim *gwrando* arna i?!'

'Dwi *yn* gwrando arnat ti!'

'Ond ti'm yn *clywed*, nag wyt?! Dyna dy broblem di o'r diwrnod ges i 'ngeni – ti'n gwrando ond ti jest ddim yn ffycin clywed!' gwaeddais.

'Paid ti â mentro rhegi a chodi dy lais 'da —'

'Ti'n rhy brysur yn llnau'r ty, ac yn *yfed* ...' cyhuddais, cyn mentro troi'r gyllell, ' ... ac edrych trwy'r ffenest ar y ddynes O'T TI'N ARFER BOD!'

Tawelwch llethol. Daeth ei phoen fewnol i'r wyneb, ac *i'w* hwyneb. Cafodd y wraig ganol oed ei brifo i'r byw. Edrychodd ar ei gŵr, fel pe bai'n ymbil am gefnogaeth. Doedd dim cefnogaeth i'w chael, ymateb a oedd yn dweud cyfrolau am gyflwr eu perthynas a'u priodas.

'Wel ...' meddai Hi'n ffwndrus. 'Mi fyddi'n falch o glywed 'mod i wedi penderfynu peidio llnau'r tŷ heddiw; dwi'n mynd i llnau'r garej!'

'A gadael tŷ blêr?!' gofynnais yn rhethregol, sarhaus.

'Mae o'n dŷ i'r car!' atebodd, cyn troi ar ei sawdl a gadael y stafell.

Edrychodd Dad a minnau ar ein gilydd, ddim cweit yn siŵr iawn beth i'w wneud – crio ynteu chwerthin. Penderfynon ni beidio gwneud y naill beth na'r llall, dim ond edrych ar ein gilydd. Mae geiriau'n bethau gwael ar adegau, ac roedd hon yn un o'r adegau hynny.

Dychwelais yn ôl i ddiogelwch fy stafell wely ac edrych yn y drych. Ro'n i'n dechrau colli fy hunaniaeth. Pwy uffar o'n i? Gall y ferch hon fod yn *unrhyw* un, yn rhywun dieithr, rhywun dwi erioed wedi'i gweld o'r blaen. Dychmygais fy mod mewn coedwig, yn cerdded ar hyd llwybr cul, a chyfarfod fi'n hun.

'Merch drist. Merch unig. Merch sy ddim yn gwbod be mae hi

eisio,' sibrydodd Llais.

Ond dyna pam yr ydw i'n fi.

Rhwbiais fy stumog. Roedd o'n llawn ... o ddim. Rhedais i'r gegin ac agor drws yr oergell.

'Cau'r drws, ast dew!'

Roedd bywyd a bwyd yn ymosod arna i, a'r olaf yn llithro i lawr fy nghorn gwddwg gan fy llenwi gyda shit. Cydiais mewn iogwrt cyn rhuthro'n ôl i fyny'r grisiau ac i fy stafell. Dychmygais fy mod ar ymyl y dibyn ... fy nibyn i ... ble gallwn fod yn fi'n hun. Yno gallwn gofio pwy *o'n* i, pwy *ydw* i, a phwy *alla* i fod ... gwybod beth sy'n gwneud i mi chwerthin a chrio. Hebdda i ro'n i'n neb, ond cymysgedd o emosiynau ac atgofion wedi'u chwalu – rhai'n wan, rhai'n gryf ... a rhai ar goll.

Un noswaith, clywais y ddau'n sgwrsio yn y gegin. Gafaelais mewn cyllell boced cyn mynd i eistedd ar ganol y grisiau, a gwrando.

Dad: Sylwest ti ddim?! Sylwest ti ddim bo' hi ddim yn bwyta?

Hi: (yn euog) Do ... naddo ...Ddeudodd hi ei bod hi *yn* bwyta!

Dad: Wedodd hi?

Hi: Do!

Dad: Wedyn, o't ti ddim yn ei *gweld* hi'n bwyta?

Hwnnw oedd ei thro Hi i ymosod er mwyn amddiffyn.

Hi: Mae hi o gwmpas y bwrdd 'ma, efo fi ...*fi* ... bob un dydd.

Dad: Yn bwyta?

Dim ateb. Pwysodd arni eto.

Dad: Yn BWYTA?!

Hi: Roedd hi'n paratoi pryd ... do'n i ddim yn gofyn, ddim yn ei gorfodi i neud. Roedd hi'n paratoi pryd, ei osod o 'mlaen i ac yn —

Dad: O 'mlân '*i*', ynte '*ni*'?

Amlwg bod Dad yn y swydd anghywir. Gallai fod yn fargyfreithiwr penigamp.

Hi: Ei dewis hi oedd bwyta yn ei llofft.

Dad: Ar ei phen ei hun?

Hi: Efo pwy arall?!

Dad: Wedyn o't ti ddim yn ei *gweld* hi'n bwyta?

Aeth ei llais yn dawel.

Hi: Nag o'n.

Roedd wedi'i chornelu.

Dad: Nag o't. Yn gwmws!

Mam: Ond mi welais blât ... platiau budron yn y sinc! Platiau roedd hi wedi'u rhoi yno, platiau roedd hi wedi —

Dad: O't ti ddim yn EI GWELD HI'N BWYTA?!

Saib. Dychmygais ei hwyneb wrth iddi raddol sylweddoli beth oedd fy nhwyll. Doedd dim i'w wneud ond amddiffyn unwaith yn rhagor.

Hi: Nid 'yn blydi mai i ydy hyn, iawn?!

Ond roedd Dad fel ci gydag asgwrn.

Dad: Steddest ti wrth y ford hyn, bob dydd, am wythnose.

Hi: Pan o't ti i FFWR'!

Anwybyddodd Hi.

Dad: Am fisho'dd, *misho'dd*, a sylwest ti ddim bod Madi — Madi dy ferch, dy blentyn, dy unig blentyn, dy wa'd dy hunan — ddim yn bwyta!

Hi: O'n i'n meddwl 'i bod hi ar ddeiet!

Dad: Nage 'deiet' yw bod dan chwe stôn! Wyt ti'n ddall neu beth?

Hi: O'n i'n gneud 'y ngora —

Dad: Neu falle bo ti'n rhy blydi bishi yn agor poteli tra bo' hi'n starfo'i hunan!

Daeth cwmwl Sylvia Plath drosta i: peryglus, dirdynnol, andwyol ac yn mynnu sylw. Estynnais y gyllell boced a rhwbio'i llafn ar hyd fy mraich.

Hi: Be o'n i fod i'w neud – ei stwffio fo i lawr ei chorn gwddwg?

Dad: Ie! Os oedd hynny'n ei chadw hi'n FYW!

Torrais fy hun â'r gyllell. Unwaith, ddwywaith, deirgwaith. Mewn pwll o iselder, does dim byd gwell na gweld gwaed yn diferu.

Hi: Ti'n meddwl mai fi sy'n gyfrifol am ei chyflwr hi, wyt ti? Ti'n fy nghyhuddo i o —

Dad: Sa i'n dy gyhuddo di!

Hi: Paid ti â meiddio rhoi'r bai arna i am ei chyflwr hi.

Dad: O, wy'n gweld. Wedyn 'yn fai *i* yw e, ife?

Hi: *Hi* ydy'r bai. Hi sy'n gyfrifol am ei chyflwr. Hi, a neb arall. Nid plentyn ydy hi!

Pwysais y gyllell yn ddyfnach trwy'r croen tenau, mân, blewog a theimlais ryddhad.

Dad: A ti'n siŵr, yn *berffeth* siŵr o 'nny, wyt ti?

Poerodd ei gwestiwn rhethregol, gan fynnu cael y gair olaf.

Gyda'r gwaed yn diferu ar garped y grisiau, eisteddais yn *foetal* a gosod fy nwylo'n dynn dros fy nghlustiau.

Distawrwydd swnllyd.

llais

Mae llond cwpan o gêl yn cynnwys 33 calori, 684% o Fitamin K, 134% o Fitamin C, 206% o Fitamin A, yn ogystal â haearn, magnesiwm, omega-3, calsiwm, ffibr a 2 gram o brotin.

Ar adegau, doedd fawr o Gymraeg rhwng Llais a minnau. Dyna sy'n gallu digwydd rhwng ffrindiau, yn enwedig rhai agos fel ni'n dwy. Gwybod gormod am ein gilydd. Gwybod yn union beth mae'r naill a'r llall yn ei feddwl neu am ei wneud. Ac yn feirniadol o bopeth. Rhy feirniadol; yn frwnt o feirniadol. Weithiau mae'n well cau llygaid a chau ceg. Gall gonestrwydd greu perthynas ond hefyd ei chwalu, gan greu pellter a rhwyg sy'n anodd − os nad yn amhosib − i'w gyweirio. Gwendid pennaf Llais oedd ei bod hi'n gallu bod yn stwbwrn fel mul, yn amharod i anghofio a maddau pan o'n i'n dangos y gwendid lleia. A bod yn ddauwynebog − un munud yn wên o glust i glust ac yn gefn, a'r munud nesa yn rhy barod i'm taflu ar wastad fy nghefn a 'nyrnu'n ddidrugaredd.

'Hi ydy'r bai. Hi sy'n gyfrifol am ei chyflwr. Hi, a neb arall!' adleisiodd Llais, gan ddynwared.

Gosododd y drych o'm blaen.

'Drycha arnat ti! Drycha arnat ti dy hunan! Ti'n DEW! A pam wyt ti'n DEW? Achos ti'n BWYTA gormod! Ti'm yn meddwl y dyliat ti neud mwy o ymarfer corff? Cant *jumping jack*, hanner cant o *sit-ups*, deugain *squat*, deg *press-up* a —'

'Hi ydy'r bai! Hi sy'n gyfrifol. Hi a neb arall!' gwaeddais ar ei thraws.

Anwybyddodd Llais, cyn camu i'w phulpud i lefaru ei phregeth ddyddiol.

'Ti ddim yn cael bwyta heddiw,' sibrydodd yn fygythiol yn fy nghlust. 'A ti'n gwbod *pam* ti ddim yn cael bwyta? Achos ti ddim *angen* bwyd. Dyna PAM! Wyt ti'n gwbod, wyt ti'n sylweddoli beth *yw* bwyd? Wyt ti? Wel? WYT TI?!'

Ysgydwais fy mhen yn ufudd, ddof.

'Ffordd gyfleus o weld saim a braster – dyna yw bwyd. Saim a braster sy'n glynu o gwmpas dy ganol di, dy fol di, dy din di, dy gluniau di ...'

Edrychais arni'n chwyrn, yn erfyn arni roi gorau i'w phregeth, ond doedd dim taw arni.

'Wt ti'n gwbod pwy sy'n hoffi merched TEW? Nag wyt ti? Wel, mi ddeuda i 'that ti. NEB! Ffwc o neb! A ti ddim yn medru rheoli dy hunan. Dyna dy broblem di. Be bynnag *alli* di fwyta, ti'n ei roi'n dy geg fawr, farus – dim ots *be* ydy o. 'Sat ti'n rhoi lwmp o gachu iâr i lawr dy gorn gwddwg taset ti'n cael hanner cyfle!'

Roedd y syniad o fwyta lwmp o gachu iâr yn codi cyfog arna i.

'Ti ddim yn cael bwyta heddiw! Gei di yfed dŵr – os oes RAID iti – pum litr, cyfle iti lenwi'r bol anferth 'na, cyfle i olchi'r holl shit ti'n ei garthu i mewn i dy hen hopran hyll, cyn piso'r caloriau i'r gwter!'

Gosododd ei phen ar fy ysgwydd; gallwn deimlo'i hanadl yn boeth ar fy ngwegil wrth iddi yngan ei gorchymyn olaf.

'Paid. Â. Bwyta.' Yna, gwên sadistaidd. 'Mi fyddi di'n hapus wedyn. Nid ti fydd "ar fai". Nid ti fydd "yn gyfrifol".'

Ar ddiwedd ei haraith – un oedd yn amlwg wedi'i rhagbaratoi'n ofalus – anadlais yn drwm, cyn i ias oer drydanu trwy fy nghorff a theimlais fy mod ar ymyl y dibyn, yn edrych i lawr i'r gwaelodion cyn ymestyn fy mreichiau led y pen, fel Crist ar y Groes, a chau'n llygaid. Taniwyd fy synhwyrau'n fyw cyn i Llais fy annog i:

'Neidia, Madi! Neidia!'

Oedais. Nid dyna oedd y peth naturiol i'w wneud ond dyna oedd fy ngreddf yn ei awgrymu. Roeddwn ar fin camu dros yr ymyl pan chwalwyd yr eiliad.

'Wyt ti'n meddwl bod hi a'i gŵr yn hapus?' gofynnodd y Geranium. 'Os ydyn nhw, pa mor aml ma nhw'n chwerthin gyda'i gilydd? Unwaith, ddwywaith y mis?'

Dylai Hi fod dan glo, a'r allwedd wedi'i thaflu ymaith. Symudodd ei chwestiynu i drywydd dieithr.

'Deud 'tha i, Madelyn, sut fedar dynes fod mewn cariad gyda dyn o'r enw Raymond?'

Er ei chyflwr meddwl bregus, roedd ei sylwadau gwallgof yn gallu goglais.

'Wyt ti'n meddwl ei fod o'n gwisgo pyjamas yn ei wely? Wyt ti'n gwrando arna i? Wyt ti'n 'y nghlywed i? Madelyn? MADELYYYN?!'

Ystyriais neidio.

Mewn ychydig eiliadau, mi fydd y cwbl drosodd.

Ond gwrthodais y cyfle. Ddim digon dewr. Gormod o ofn. Gormod o gachwres.

'Cael traed oer. *Eto*,' atgoffodd Llais.

'Eto.'

Dechreuais siarad â Llais yn amlach. Dyna'r unig ffordd o gael sgwrs gall. A'r fantais fawr oedd 'mod i'n cael y gair olaf ym mhob dadl. Siarad a dadlau yn y tywyllwch fel rheol, y tywyllwch yn blanced gynnes o 'nghwmpas ac yn cadw'r meddwl yn effro. Sgyrsiau dwys, athronyddol megis am y pontio rhwng cyfnodau bywyd – y geni, glasoed, beichiogi, menopôs, marwolaeth ... a chwsg hir. Ai dyna'r llwybr oedd o 'mlaen i? Byddai'r ddwy ohonon ni'n ffraeo'n angerddol am y peth lleia – yn mynnu taro chwannen gyda gordd – cyn yr angen a'r awydd a'r pleser o gymodi. Doedd dal dig ddim yn opsiwn.

'Ti'n gwmni difyr,' meddai un tro, yn dyner.

'A chdithau.'

'Difyr a dethol.'

'Dim ond y tri ohonan ni.'

'Tri'?'

'Fi, chdi a photel o ddŵr.'

Gwenodd Llais. Gafaelais mewn pensil a darn o bapur A4. Y dudalen lân oedd cynfas fy meddwl – cynfas glân a gwag – mor wag ag yr o'n i'n teimlo tu fewn. Doedd 'o', beth bynnag oedd 'o' – bywyd? gwellhad? – jest ddim yn digwydd. Popeth mor ddi-liw a diflas. Bellach, roedd y pethau ro'n i'n eu mwynhau yn fy niflasu. Roedd ceisio canolbwyntio ar y mân bethau – y pethau syml, cyffredin, bob dydd – yn dangos pa mor uffernol o ddibwrpas o'n i ac roedd ceisio bod yn bositif, mewn rhyw ffordd anesboniadwy, yn fy ngwneud i'n fwy negyddol.

'Gwena,' gorchmynnodd Llais. 'Ti'n edrych yn anhapus. Fel model. Mewn cylchgrawn.'

Gyda phopeth ro'n i'n ei wneud, roeddwn i'n treulio naw deg y cant o'r amser yn holi pam ddiawl o'n i'n ei wneud o! Ac yn cyrraedd yr un canlyniad bob tro – doedd gen i'm syniad!

BLOG:

Diwrnod cyffredin ddoe:

– codi

– yfed dŵr lemwn

– bath poeth

– rhedeg

– bwyta chwarter banana

– yfed chwarter paned o de (heb laeth)

– pwyso'n hunan

– agor a chau drws yr oergell

– llyfu moron

– mynd i'r gampfa

– rhedeg adre– agor a chau drws yr oergell

– rhedeg i fyny ac i lawr y grisiau

– mynd i fy ngwely

Bwysig byw bywyd llawn.

Bywyd llawn gwrthdaro. Y noson honno, roedd ffrae lifeiriol – un arall – i'w chlywed yn y gegin. Hi'n ymosod a fo'n amddiffyn.

Hi: Ffonish i deirgwaith.

Dad: Cyfarfodydd. O'dd 'yn ffôn i bant.

Hi: Ffonish i'r gwesty. Ganol nos. O't ti ddim yno. Ffonish y dderbynfa, egluro bod damwain car, ei unig ferch ar ei gwely angau, rhaid imi gael gair ag o'n syth.

Aeth Dad yn flin fel cacwn.

Dad: Defnyddiest ti Madi fel —?

Hi: Cnocio'r drws bob hanner awr, *trwy'r* nos. '*I'm sorry, but there is no answer in the room.*'

Dechreuais bwnio a dyrnu fy nghorff yn galed.

Ai fy mai i oedd hyn?

Hi: Ble o't ti?

Dad: Yn fy ngwely.

Hi: Yn dy wely!

Dad: Ie!

Hi: Efo pwy?!

Dad: 'Yn hunan!

Hi: Dy hunan?!

Dad: Ie!

Cefais fy nhemtio i dorri ar draws a gweiddi ar dop fy mhen, 'Oes *ots* ble roedd o?! Ac efo pwy?! *Dad* ydy o! Dad! Fy nhad *i*!'

Penderfynais frathu fy nhafod, cyn i'r gwrthdaro ddod i ben gyda'r un o'r ddau wedi ildio modfedd, dim oll wedi'i ddatrys, swn platiau bwyd yn malu'n deilchion ar y waliau a'r llawr (eto!) a'r drws ffrynt yn cael ei gau'n glep ar ei ôl.

Roedd mwy o helynt a gwrthdaro wedi ymweld â'n tŷ ni, ac roedd y Nadolig ar riniog y drws. Cyfnod o hapusrwydd a dedwyddwch teuluol.

o deuwch ffyddloniaid

Arachibutyroffobia yw ofni bod menyn cnau mwnci wedi glynu i dop eich ceg!

Diwrnod dathlu'r Geni. Dim ond diwrnod arall i anghredinwraig falch. Ni wnaeth crefydd na'r Beibl – gyda'i straeon anhygoel a'i ddamhegion moesol, ei wyrthiau a'i gelwydd – erioed apelio na chydio ynof, er gwaetha blynyddoedd cynnar o ysgol Sul a *Rhodd Mam*.

'*Sawl Duw sydd? Un Duw sydd.*' Neu ddim *un*, yn fy achos i. Ni chefais erioed yr awydd i bregethu fy niffyg cred wrth neb, nac i gael troedigaeth neu 'weld y goleuni'. Cyn belled â 'mod i'n gyfforddus gyda'r hyn ro'n i'n gredu, ro'n i'n hapus.

Cafodd crefydd ei gyflwyno i mi'n gynnar iawn, toc ar ôl imi chwydu betys ar fwrdd cinio'r ysgol gynradd. Dechreuwyd pob diwrnod am naw o'r gloch yn y bore gyda gwasanaeth Cristnogol, gan gynnwys gweddi syml ac emyn hawdd i'w ganu, gyda'r geiriau'n sôn am ddyn mor dda oedd Iesu Crist (ni fyddai'r Rhufeiniaid ar y pryd wedi cytuno â hynny, ond eu problem nhw, ac yntau, oedd hynny). Buan y gwerthfawrogais y ffaith fod y Beibl yn llyfr pwysig, yr un mwya dylanwadol yn hanes y ddynoliaeth, a bod tystiolaeth fod y mannau y sonnir amdanyn nhw yn y Llyfr Mawr yn – neu wedi – bodoli. Nid, wrth gwrs, bod hynny'n golygu bod y Beibl gant y cant yn wir nac yn gywir. Er enghraifft, does dim modd *profi* bod y gwyrthiau wedi digwydd, gwyrthiau megis:

– troi'r dŵr yn win (byddai Hi wrth ei bodd!)

– bwydo'r pum mil gyda phum torth a dau bysgodyn (neu ddwy

dorth a phum pysgodyn, fydda i byth yn cofio!)

– Iesu'n cerdded ar y dŵr

– Moses a'r Môr Coch (math o swnami?)

Ond mae'r gwersi a'r moeswersi rhagorol rhwng ei gloriau, megis egluro sut i fyw'n gyfrifol fel unigolyn a gofalu dros eraill, gwersi dwi'n cytuno â nhw, i'w cefnogi a'u gwerthfawrogi. Ond nid ydyn nhw'n profi yr un peth pwysig a hanfodol hwnnw, sef bod Duw yn bod. Does dim ffeithiau, dim ond deongliadau. A dwi ddim yn meddwl 'mod i – yn wir, yr un ohonon ni – yn bwysig. Dim ond dot bach di-nod a di-ddim ydw i. Yn drosiadol, darn o bren bach mewn môr anferthol, neu raean o dywod mewn anialwch.

Ond ei wendid mwya – hynny yw, Duw – yw ei fod o'n llawer rhy debyg i Ddyn (a Dynes). A gan fy mod yn rhan o'r ddynoliaeth, pwy – fel y pwysleisiais eisoes – fyddai'n dymuno bod yn fi? Mae gan Dduw emosiynau, fel fi. Mae Duw yn credu mewn cyfiawnder, fel fi. Mae Duw yn ceisio'i orau i gyfathrebu – gan fethu weithiau – fel fi. Mae Duw yn gallu caru, fel fi (er na fyddai Hi'n cytuno). Yn fyr, mae Duw yn rhy debyg i mi ond, ar yr un pryd, tu hwnt i unrhyw ddealltwriaeth resymegol. All neb ddweud yn union beth mae Duw ei angen neu ddim ei angen. Yn union fel na all gwenynen ddeall nad ydw i eisio iddi roi pigiad i mi (fel ddigwyddodd unwaith). Trafodais hyn i gyd gyda Llais, ond roedd hi mor ddryslyd a chymysglyd â fi.

'Duw greodd y byd,' meddai Dad.

'Ond pwy greodd Duw, Dad?' gofynnais. Oedodd, cyn mynd i wneud paned o de. Roeddwn i'n saith oed ac wedi llwyddo i hel fy nhad yn fud i'r gegin. Dychwelodd, a dechrau mwydro am y *Big Bang*.

' ... Un llychyn yn ffrwydro ac yn chwyddo, ac yn creu'r bydysawd, t'wel.'

'Ond o ble daeth hwnnw, Dad?'

'O ... "X".'

'Ac o ble daeth hwnnw, Dad?'

'O ... "Y".'

'A "Y" o "Z"?' gofynnais, braidd yn sarhaus.

'Ie, 'na ti! Ti 'di deall hi nawr! Jawl, ti'n siarp – gwmws fel dy dad.'

Troi mewn cylchoedd oedd hynny. Ond efallai mai'r theori honno yw 'Duw'. Os felly, does dim rhaid i mi ei addoli na mynd ar fy ngliniau i weddïo. Mae croeso i rywun arall wneud hynny ond eu dewis nhw fyddai hwnnw.

'A dyna ydy crefydd ar ddiwedd y dydd,' meddwn wrth Llais. 'Dewis. Does dim prawf bod Duw – unrhyw dduw – yn bodoli neu ddim yn bodoli. Rhydd i bawb ddewis, a dwi wedi dewis peidio â chredu ynddo.'

'A mae'n rhaid parchu'r dewis hwnnw?'

'Oes. Does gan neb yr hawl i orfodi rhywun arall i gredu'r un peth â nhw. Mae hynny'n amharchus. Parchu barn ein gilydd a dathlu gwahaniaeth barn. Crediniwr neu anghrediniwr, gallwn gyd-fyw'n hapus.'

'Ond rhaid edrych ar hanes y byd,' meddai Llais yn fyfyriol. 'Mae crefyddau wedi achosi rhyfela a lladd a dinistr erioed.'

Yn y drych, edrychais i fyw ei llygaid. Sinig oedd Llais. Hen sinig cas.

A geiriau Llais oedd yn troi yn fy mhen y bore Nadolig arbennig hwnnw. Y Nadolig cynt, roeddwn wedi sgrifennu blog yn egluro cymaint ro'n i'n mwynhau'r Nadolig, yn enwedig y lliwiau a'r synau. Ond y flwyddyn arbennig honno, ro'n i'n ei gasáu. Anodd egluro pam – fy oed, efallai? Natur y sawl sy'n ei harddegau yw cwestiynu popeth, yn enwedig gwyliau a defodau o bob math. Ddeuddeg mis yn ddiweddarach, doedd y cardiau bellach ddim mor lliwgar, y goleuadau ar y goeden blastig ddim mor llachar (chawson ni erioed goeden go iawn yn tŷ ni oherwydd roedd Mam yn casáu'r llanast roedd y goeden yn ei adael ar ei hôl), a'r cyffro ffug ddim mor ffals.

A'r bwyd. Heb anghofio'r bwyd:

– tatws, tatws rhost, pys
– moron, rwden, pannas
– saws llugaeron
– blodfresych gyda saws caws
– cig, twrci
– cig, stwffing, twrci
– cig, cig, stwffin, twrci, grefi
– pwdin Dolig, menyn blas brandi
– mins peis
– cacen Dolig
– siocled
– mwy o siocled
– cig, cig, stwffin, twrci

A oes unrhyw un yn mwynhau ffycin **TWRCI**?!!!

'Mae'r Dolig yn dod yn gynharach bob blwyddyn.'

Hi a'i hystrydeb. Ond mae gan bob ystrydeb un droed yn y gwirionedd, oherwydd *mae'r* Nadolig *yn* dod yn gynt bob blwyddyn. Mae'n cychwyn yn fuan ar ôl Gŵyl y Banc ym mis

Awst, neu'n gynnar ym mis Medi – ar y teledu, yn y papurau newydd, mewn cylchgronau – ac mae'r byd yn barod i roi ei law yn eich poced ddofn a'i gwagio. Dylai Diwrnod Nadolig fod yr hyn maen nhw'n mynnu ei alw, sef 'Diwrnod Gorau'r Flwyddyn', diwrnod sy'n rhoi terfyn ar y siopa, y canu carolau a'r partïon, diwrnod pan mae pawb yn caru ei gilydd, yn barchus i'w gilydd, yn mwynhau cwmni ei gilydd, yn enwedig 'y teulu'. Ond y ddelfryd yw hynny, a dyw'r byd ddim yn ddelfrydol. Mae Diwrnod Nadolig yn llawn pryder, tyndra ac iselder. Mae'r dydd yn fyr; y nos yn cau amdanon ni ganol prynhawn; mae hi'n oer ac yn llwm; rhaid i mi feddwl am resymau ac esgusodion newydd er mwyn osgoi'r partïon; rhaid i mi giledrych yn ôl yn hunanfeirniadol ar y deuddeg mis cynt a wynebu'r ffaith 'mod i wedi gwastraffu blwyddyn arall o 'mywyd. Fel anghredinwraig, yr unig beth positif am y Nadolig yw bod fawr ddim o sôn amdano Ef na'i eni, sef gwir bwrpas yr ŵyl.

A doedd fawr ddim arall yn bositif am Ddiwrnod Nadolig yn *chez nou*, gyda'r diwrnod yn dechrau gydag un waedd ingol o waelod fy mod.

'AAAAAAAA!!!'

Dyma'r un diwrnod o'r flwyddyn do'n i ddim eisio codi o 'ngwely; dyma'r diwrnod oedd yn hunllef pur. Ond codi oedd raid a dilyn yr un patrwm arferol, a'i drin fel pob diwrnod arall o'r flwyddyn, gan wybod nad oedd yn debyg o gwbl i bob diwrnod arall. Roedd o'n wahanol, yn wahanol iawn. Rowlio o'r gwely, ymolchi, gwisgo (y siwmper fwya, un oedd yn hongian amdanaf), mynd i lawr grisiau, dweud 'Dolig Llawen' cyn ei helpu Hi i baratoi'r cinio traddodiadol (gweler uchod). Roedd gormod o fwyd yn cael ei baratoi, a'r gwastraff yn ddigon i fwydo'r Trydydd Byd. Byddai'r paratoi'n cymryd rhyw ddwyawr; dwyawr lle roedd Hi a mi'n dioddef cwmni ein gilydd ac yn taflu ambell edrychiad sarrug at ein gilydd. Doedd Dad ddim yn dod yn agos i'r gegin. Doedd o ddim i droedio'n agos i'r lle – dyna oedd ei rheol Hi, *un* o'i rheolau Hi, ar ddiwrnod Nadolig.

Pan oedd pob dim yn barod a'r twrci wedi'i ddadwisgo o'i siwt arian byddai'r tri ohonon ni'n mynd i eistedd o amgylch y bwrdd. Dyna pryd fyddai'r tri pherson annoeth gyda'i gilydd am y tro cynta y diwrnod hwnnw, a dyna pryd fyddai pawb yn gorfodi gwên, yn cogio mwynhau ac yn perffeithio'r grefft o siarad gwag.

Dad: Twrci'n dishgwl yn flasus.

Hi: Un llynedd braidd yn wydn.

Wedyn, *moi* yn mynd ati i drywanu sbrowt gyda fforc.

'Sbrowts yn galed.'

Dyna oedd fy nghyfraniad arferol i'r 'sgwrs'. Digon hawdd oedd bod yn gas; bod yn gwrtais oedd y gamp. Dim dadlau, dim cychwyn gwrthdaro, dim syllu ym myw llygad y naill a'r llall – dyna oedd y 'rheolau'. A chyn palu i mewn i'r twmpath bwyd, roedd gan Dad frawddeg neu ddwy i'w hailadrodd o'i sgript.

'Gweddïwn. Diolch am ddiwrnod arall, am gartref, am iechyd, ac am fwyd i'n cynnal ni. Yn enw ein —'

'Am gartref, am iechyd, am *deulu*,' pwysleisiodd Hi. 'Anghofist sôn am *deulu*.'

Credais fod Dad wedi gadael y gair allan yn fwriadol, ond allwn i byth â phrofi hynny.

'Ddrwg 'da fi. Ac am *deulu*. Am iechyd ac am deulu. Yn enw ein Harglwydd Iesu Grist, Amen.'

'Amen,' adleisiodd Hi, cyn edrych arna i a nodio'i gorchymyn.

'Amen.'

Do'n i byth yn mentro ychwanegu 'dyn pren, sticio cyllell yn ei ben' ar Ddiwrnod Nadolig. Nid hwn oedd y diwrnod gorau i aflonyddu'r dyfroedd. Ar ôl arllwys ychydig o win coch i'r tri ohonon ni – Merlot o Sbaen neu Chile, byth o unrhyw wlad arall – cododd Dad ei wydryn a chynnig llwncdestun.

'Dolig ... llawen?' Credais imi glywed tinc o farc cwestiwn ar ddiwedd y gair 'llawen', ond efallai mai dychmygu wnes i. Llowciodd Hi ei gwin ar ei ben cyn ail-lenwi ei gwydryn gwag. Edrychodd Dad yn anghyfforddus arna i cyn gafael yn ei gracer a chynnig un pen i mi.

'Madi?'

Tynnwyd y cracer rhad, a hwnnw'n clecian fel rhech wlyb mewn bath. Gyda'r crib a'r haearn smwddio plastig ar y bwrdd, rhoddodd ei goron bapur am ei ben cyn sythu ei gefn yn awdurdodol fel pe bai'n frenin yn ei balas. Doedd gan y frenhines fawr o awydd cael ei choroni ac aeth Hi ati i bigo ar ei bwyd. Edrychais ar y ddau. Sut allen nhw jest eistedd yn fan'na fel pe bai dim o'i le? Onid oeddan nhw'n teimlo fel ro'n teimlo? A oedd gan y ddau yma deimladau o *gwbl*?

Daeth y prif bryd i ben gyda'i blât o'n wag, ei phlât Hi'n hanner gwag, a'r bagiau plastig yn fy mhocedi cudd yn llawn. Y cam nesa oedd agor yr anrhegion. Un yr un. Doedd dim llawer o bwyslais ar y 'rhoi' yn ein tŷ ni.

'Diolch am y tei,' meddai Dad.

'Croeso,' atebodd Hi'n ddigroeso. 'Diolch am y *voucher*.'

'Croeso.'

Dyna oedd ei hanrheg bob blwyddyn.

'Alli di byrnu beth ti moyn. Wyddwn i ddim beth i'w gael iti.'

Diflannodd ei gwên ffug. Yna estynnodd Dad anrheg o'i boced a'i gosod ar y bwrdd o'm blaen.

''Co ti. Anrheg. Oddi wrtha i.' Edrychodd arni Hi. 'Oddi wrthon ni'n *dou*. Dolig Llawen.'

Gwenais.

'Be ti'n ddeud?' gofynnodd Hi, fel pe bawn i'n ferch fach bump oed unwaith eto.

'Diolch.'

'Croeso.'

Agorais y bocs bach, hir yn ofalus. Syllodd y ddau'n nerfus ar ei gilydd.

'Watsh.'

'O'r Swistir. Brynes i hi pan o'n i 'na ddeufis yn ôl. Gobeitho bo' ti'n 'i lico hi.'

'Yndw.'

'Dy fam awgrymodd bod ishe un arnot ti.'

Edrychais arni.

'Jest y peth ro'n i eisio.'

'Gwishga 'ddi,' meddai Dad.

'Rŵan?' gofynnais yn anghyffyrddus.

'Ie. Sdim amser gwell na'r presennol, o's e?'

Torchais fy llewys cyn gosod y watsh am fy ngarddwrn. Roedd y strap yn edrych fel gwregys ar sgerbwd. Edrychais ar y ddau wrth lithro'r strap yn araf, bwrpasol i fyny fy mraich – i fyny ac i fyny dros olion cyllell yr hunan-niweidio a chyrraedd y penelin. Llyncodd Hi ei phoer yn galed a chaeodd Dad ei lygaid. Roedd eu hwynebau'n gymysgedd o ddychryn, anghrediniaeth, cywilydd ac euogrwydd. Yn enwedig euogrwydd. Ond doedd dim lle iddyn nhw ffoi. Ennyd o sobrwydd a thawelwch swnllyd; y ddau'n edrych fel pe baen nhw mewn perlewyg.

'Diolch, Mam. Diolch, Dad.'

Eironi creulon ac effeithiol. Cafodd y ddau eu llonyddu. Gosododd Hi ei llaw dros ei cheg fel pe bai ar fin chwydu, cyn i un deigryn unig gronni yng nghornel ei llygad chwith. Roedd fy nhasg wedi'i chyflawni, fy ngwaith wedi'i wneud. Codais o'r bwrdd a cherdded o'r stafell fud.

'Beth 'yt ti 'di neud?' cyhuddodd Dad, gan geisio golchi'r gwaed o'i ddwylo.

'Beth wyt *ti* wedi neud?' atebodd Hi.

Grisiau hir oedd y rheiny, pob cam yn drwm. Caeais ddrws fy stafell wely ar f'ôl a phwyso yn ei erbyn. Er bod y gwres canolog ymlaen, roedd y llofft yn oer. Sefais o flaen y drych a theimlo fy nghorff dan fy siwmper lac. Tynnais ar y blew mân oedd yn gorchuddio 'mreichiau.

Roedd y cinio Nadolig – a'r Nadolig – drosodd am flwyddyn arall.

ble mae dad?

Mae dros 8,000 o wahanol fathau o rawnwin yn y byd ac ar gyfartaledd, mae pawb yn bwyta 8 pwys o rawnwin pob blwyddyn. Mae 3 calori mewn 1 rawnwinen.

BLOG:

Nos Galan. Wedi gwneud cwpwl o addunedau.

– colli mwy o bwysau ar ôl gwledda Nadolig

– mynd i'r gampfa bob dydd Gwener

– yfed mwy o ddŵr

– cnoi llai o chewing gum

– mwy o ddarlunio

– blogio'n amlach

Blwyddyn od. Dad a Hi'n poeni 'mod i wedi colli pwysau ond mae 'mhwysau i'n berffaith a dwi'n teimlo'n grêt. Amser yma flwyddyn nesa dwi'n gobeithio y bydda i'n sgwennu'r blog yma ac yn deud blwyddyn mor ffantastig dwi newydd gael a chymaint dwi wedi'i ddysgu, gweld, gwneud, rhoi – a llwyddo. Blwyddyn Newydd Dda! Carpe diem!

Eisteddais ar fy ngwely, gyda dim ond Llais yn gwmni. Edrychais ymlaen i'r ffaith fod Dad ar ei ffordd adre.

Holais Hi'n gynharach.

'Pryd yn union fydd o adre? Fydd o yma cyn hanner nos?'

Dim ateb, dim ond parhau i edrych trwy'r ffenest.

Clywais leisiau meddw ar y stryd tu allan wrth iddyn nhw ymlwybro am y dafarn leol i ddathlu'r Flwyddyn Newydd. Teimlais mor falch 'mod i ddim yn rhan ohonyn nhw; ers yr ysgol feithrin, doedd dilyn y praidd yn wasaidd ddim yn rhan o'm natur. A dyna'r fantais fwya o fod yn ynysig, annibynnol – doedd dim galw na gorfodaeth arna i wneud hynny. Rhyddid. Amhrisiadwy.

Roeddan ni fel teulu yn cael gwahoddiad i fynd drws nesa bob Nos Galan, ond roedd Hi wedi gwrthod y gwahoddiad yn gwrtais gan fod 'Dad i ffwrdd'. Dyna oedd ei rheswm, neu ei hesgus; dyna ddeudodd hi wrth bawb. Dyna ddeudodd Hi wrtha i, hefyd. Ond wrth i gloch yr eglwys groesawu'r Flwyddyn Newydd doedd dim siw na miw o Dad. Ro'n i ar fin mynd i'w holi ymhellach ynglŷn â lle roedd o, i ofyn pam doedd o ddim wedi cyrraedd, pan glywais ei thraed yn pwyso'n drwm ar garped y grisiau. Stopiodd tu allan i'r drws. Oedodd. Disgwyliais yn ofer am y gnoc gwrtais. Camodd ymlaen yn frysiog i gyfeiriad y toiled, cau'r drws, a'i gloi. Sefais o flaen y drych.

'Ble ma Dad?' gofynnais i Llais.

Dim ateb, dim ond edrychiad trist.

'Pryd fydd Dad adre?'

Eto, dim ateb. Pam oedd pawb mor dawedog?

'Pryd fydd Dad adre?!' gwaeddais arni Hi.

Saib. Distawrwydd. Dechreuais golli 'nhymer.

'BLE MA **DAD**?!'

Ond roedd siarad gyda Hi fel siarad â'r wal. Penderfynais ddefnyddio ei brawddegau cyfarwydd.

'Wyt ti'n gwrando arna i? Wyt ti'n fy nghlywed i? BLE?! MA?! DAD?!'

Chwydodd ei pherfedd.

Gobeithio bydd Hi'n golchi'r lle chwech ar ei hôl, meddyliais.

Dychmygais Hi'n penlinio wrth y toiled fel pe bai'n gweddïo am faddeuant. Ond maddeuant am beth? Am ba gam? A dyna pryd sylweddolais beth oedd ei phechod. Ei chelwydd. A'r celwydd hwnnw oedd ei phriodas. Priodas bapur wal, a'r papur hwnnw'n cuddio'r craciau. Roedd un ffaith yn amlwg – doedd Dad ddim adre. A doedd Dad ddim am ddod adre. Byth.

Edrychais ar fy watsh yn crogi'n llipa dan fy mhenelin. Llithrais hi'n araf i lawr fy mraich, ei thynnu a'i gollwng yn ddiseremoni ar lawr cyn camu'n frysiog ar y glorian. Noson uffernol oedd hon, un oedd yn prysur waethygu. Ro'n i wedi magu pwysau – dau bwys! *Dau* blydi bwys! Doedd hyn ddim yn dda, ddim yn dda o gwbl. Dechrau blwyddyn newydd – *colli* pwysau, dyna oedd y bwriad. Nid fel hyn oedd pethau i fod! Neidiais oddi ar y glorian a'i chicio'n rhwystredig dan y gwely wrth i ddrws y bathrwm ddatgloi. Rhuthrodd Hi i'w stafell fel llygoden fawr i'w thwll. Rhedais o'r llofft i'r stafell ymolchi, cau'r drws yn glep a'i gloi. Distawrwydd llethol, heblaw am y tap yn diferu. Gyda'r ddeubwys yn fwgan yn y pen, dechreuais lenwi'r bath gyda dŵr poeth, mor boeth ag y gallwn ei ddioddef. Syrthiodd fy nillad yn swp ar y llawr dan fy nhraed. Rhwbiais y stêm oddi ar y drych a syllu ar yr hwch dew o'm blaen. Clywais yr oergell yn gweiddi.

'Ast dew!'

Crechwenodd Llais y tu ôl i mi. Roedd hi'n gwybod be o'n i ar fin ei wneud, ac yn hynod falch ohona i. Rhoddais y tap dŵr poeth yn unig ymlaen a meddwl beth fyddai fy arwres, Eugenia Cooney, yn feddwl ohona i. Efallai y byddai'n sôn amdana i ar ei phwt nesa ar YouTube, dweud wrth y byd pa mor ddewr o'n i, pa mor frwdfrydig wrth frwydro â'r byddin o galorïau.

Ar ôl llenwi hanner y bath, troais y tap dŵr poeth i ffwrdd a gafael yn dynn ar yr ymyl, cyn gosod un droed yn ofalus iawn yn y dŵr fel pe bawn yn camu ar y glorian am y tro cynta.

'Ffwc!' rhegais, yn uchel.

'Dau bwys. Dau ffycin pwys,' sibrydodd Llais. ''Sgen ti ddim cywilydd?'

Gallai Llais fod yn fwy o hen ast na Hi. Gosodais fy nwylo dros fy mronnau bychain, rhoi'r ail droed i mewn, cyn llithro'n araf i mewn i'r dŵr berwedig a'r stêm. Dechreuais wylo, y dagrau'n gymysg â'r diferion chwys a lifai i lawr fy wyneb. *Dyma* oedd 'poen', un ro'n i wedi'i gwahodd.

Eisteddais a rhoddais sgrech. Un hir, aflafar. O grombil fy mod.

yr uned

Alliumffobia yw ofni garlleg. Mae garlleg yn cadw pryfetach, a phobl, draw.

Dyna lle ro'n i. Mewn Uned. Uned 'U' bedol fawr. Uned i 'bobl fel chdi', yn ôl Hi. O'r eiliad y cyrhaeddais, gwyddwn un peth – doedd o ddim yn Disneyworld. Tebycach i'r Rhyl ar brynhawn gwlyb ddiwedd Tachwedd. Penderfynais 'mod i am gasáu'r lle a'r bobl oedd yno. Sgerbydau o'm cwmpas ym mhobman, fel bod mewn mynwent wedi deffro. Dychrynais wrth sylwi pa mor druenus o denau ro'n nhw. Roedden nhw'n edrych yn newynog, fel pe baen nhw heb fwyta pryd o fwyd call ers misoedd. Ac ro'n i'n eiddigeddus.

Teimlais gywilydd; cywilydd o fod mor dew a hwythau mor denau. Mae'n amlwg eu bod yn flin bod rhywun tew fel fi yn eu plith, pob un yn syllu arna i, cystal â dweud "Sgen ti ddim anorecsia, felly ffyc off!' Gwibiai llygaid pob un ohonon ni o gwmpas, gan ddadansoddi a chymharu'n cyrff, asesu'r 'gystadleuaeth'. Hon oedd Eisteddfod y Sgerbydau ac ro'n i eisio ennill y Gadair, bod yr anorecsig gorau yn y byd! Ond buan y tawelodd yr awch am gystadlu, a chyfaddefais wrtha i fy hunan 'mod i ddim i eisio bod yno. Cael fy ngorfodi i fod yno wnes i, ganddi Hi a Dad. Sut allai *o* – o bawb – wneud hyn i mi, a minnau'n ei garu cymaint?

Treuliais oriau o fy amser bob dydd yn gwrando ar gerddoriaeth ar fy iPhone. Y ffordd orau o gadw realaeth hyd braich. Cefais amser i chwilota a lawrlwytho caneuon oedd yn mynegi fy nheimladau, caneuon fel 'Iris' gan y Goo Goo Dolls. Mae cerddoriaeth a chân a geiriau yn gallu gwneud hynny – treiddio dan yr wyneb, cael at galon y gwir. A'r gwir oedd bod golwg welw arna i, y dillad yn hongian fwyfwy ar fy nghorff, fy llygaid yn wag, fel rhai o beintiadau Edvard Munch. A doedd bod o fewn pedair wal Uned Anorecsia ddim yn codi'r ysbryd nac ychwaith yn procio brwdfrydedd. Does dim unman yn fwy afiach na bod yng nghanol glanweithdra clinigaidd lle mae taro rhech yn un o'r Pechodau Marwol.

Maen nhw, y staff, rheini gyda llythrennau'r wyddor ar ôl eu henwau, yn meddwl 'mod i o 'nghof. Nid dyna'u hunion eiriau – maen nhw'n rhy brofiadol i fod mor ansensitif ac anghynnil. 'Seicotig' oedd eu gair. Hynny'n swnio'n llai eithafol, dim angen fy rhoi mewn *straitjacket*! A'r cwbl yn deillio o'r ffaith 'mod i wedi gorwedd mewn bath o ddŵr poeth ac wedi anghofio troi'r tap dŵr oer ymlaen. Ond sut mae mesur gwallgofrwydd? Sut mae mesur normalrwydd? Mae hynny fel mesur celf. Ac roedd fy meddwl i'n ddarn o gelf, yn waith abstract, yn gymysgfa o liwiau a syniadau, tra bod y twpsod oedd yn gofalu amdana i'n gyfyng eu meddyliau ac yn gwbl ddiddychymyg. Ro'n i'n glyfrach na'r blydi lot ohonyn nhw. Allen nhw byth â fy neall i. Byth.

Ro'n i mewn lle dieithr. Ac estron, yn llythrennol. Ar ôl penderfynu bod rhaid i mi gael triniaeth, bu chwilota dyfal am uned addas, un oedd ddim yn rhy bell o gartref. Ond doedd dim uned yng Nghymru – pob gwely'n llawn – a bu raid iddyn nhw fy llusgo'n cicio a brathu dros y ffin i Lerpwl. Dinas groesawgar, gartrefol, a'i phobl yn ffraeth – yr unig broblem oedd bod angen isteitlau i ddeall be ddiawl ro'n nhw'n ei ddweud.

Siri oedd ei henw. Fy nyrs bersonol. Holais beth oedd ei thras.

'Eeeee, I dunno, 'dat. I think me great, great, great, great grandad stepped off a sailing boat and it left without 'im,' eglurodd mewn acen Lerpwl mor dew fel y gellid ei thorri gyda chyllell. 'He decided to stay 'ere, loike.'

Merch glên oedd Siri, ar y cyfan. A siaradus. Anodd gwybod pryd oedd hi'n anadlu wrth i'w brawddegau llifeiriol ymdoddi i'w gilydd. Ro'n i'n amau weithiau fod ganddi liw haul ar ei thafod. Dan amgylchiadau gwahanol, mae'n debyg y byddwn wedi closio ati ac efallai ei galw'n 'ffrind'. Ond bu raid ei chadw hyd braich oherwydd ei phrif bwrpas oedd fy mhwyso unwaith y dydd – ddwywaith weithiau – a 'nwrdio os o'n i'n magu pwysau, cyn lleied â chwarter pwys. Merch glên, ond nid un i roi bys yn ei cheg.

'Did I tell ya dat me grandad – not the great, great, great one, obviously – went to the same primary school as Ringo Starr?'

Do'n i byth yn ei hateb, dim ond gadael iddi raffu stori at ei gilydd. Ro'n i'n rhy brysur yn poeni am fy mhwysau.

'St. Silas, on Pengwern Street, near Madryn Street, where he was born, number nine. But ya probably know dat, being Welsh, loike.'

BMI (Body Mass Index) iach yw rhwng ugain a phump ar hugain. Deunaw yw 'dan bwysau', un ar bymtheg yw 'anorecsig'. Ro'n i'n ddeuddeg. Ac yn falch o hynny.

'He was called Richard Starkey back then. Sick lad he was. Had peritonitis. Grandad used to joke dat he was ugly too, said he could scare a police 'orse.'

Credais mai'r tro cynta i mi glywed y Beatles oedd yn y groth, pan oedd Dad yn mynnu gosod y seinydd ar ei bol Hi. Ond efallai mai fy nychymyg byw oedd hynny. Efallai.

'He use to hear 'im in the back garden, banging a saucepan with a stick. Drove everybody mad in the Dingle. Grandad joked dat he didn't 'ave much of a sense o' rhythm back den either! But, hey, he's got more money now den soft Joe!'

Roedd hi wrth ei bodd yn ailadrodd y stori honno, ond do'n i ddim mor hoff o wrando arni, yn enwedig am y degfed tro.

'Took us ages to find a vein to get some blood out of you, ya know. Couldn't get the cannulas or drips in, everything was so dehydrated.'

Gwenais yn gynnil. Dim byd yn rhoi mwy o bleser i mi na'r ffaith bod fy nghorff yn creu trafferth i'r byd meddygol.

'Right, Madi. Time to do yer business. Ya know the routine by now, don't want me to repeat meself.'

Cyn fy mhwyso, roedd gofyn i mi wagio pob diferyn o'm corff eiddil trwy biso (byddai geni'r hyll wedi bod yn amhosib!). Ac er mwyn sicrhau bod y weithred yn cael ei gwneud, arferai Siri sefyll tu allan i'r toiled a gwrando ar yr hyn oedd yn mynd ymlaen tu ôl i'r drws caeedig. Neu'r hyn roedd hi'n *feddwl* oedd yn mynd ymlaen. Ro'n i bellach yn fwy slei a chyfrwys nag erioed. Dechreuais amau mai llwynoges o'n i mewn bywyd arall.

Ar ôl cau'r drws, byddwn yn cau'r sedd, yn eistedd arni, cau'n llygaid, anadlu'n drwm, a meddwl. Ond nid yw gorfeddwl yn iach. Nid yw dadansoddi pob dim dwi'n ei wneud a phob dim dwi'n ei glywed yn llesol i'r pen. Dychmygais fy hun mewn congl, yn llonydd, yn methu symud, yn gwylio Amser yn mynd heibio'n araf trwy sbectol dywyll.

'I want ya to get rid of all dat fluid inside of you. Every little drop, ok?'

Dyma oedd *Catch 22*. Rhaid gadael yr uned i wella, ond rhaid gwella cyn gallu gadael yr uned.

'Are you alright in der?' gofynnodd, gan gnocio'n ysgafn ar y drws.

Pam trafferthu ei hateb?

'If not, don't come running to me if ya break a leg.'

Dylwn fod wedi dychryn trwy fy nhin ac allan pan ddywedodd y meddyg teulu ei bod hi'n bosib i mi farw, yn enwedig pan gyhoeddodd hynny am y trydydd tro. Ond ni lwyddodd difrifoldeb y sefyllfa fy nharo unwaith, dim *un* waith. Ro'n i fel pe bawn yn bodoli mewn byd tu allan i realaeth, wedi fy nghaethiwo yn fy mhen a'm meddyliau. Doedd gen i ddim teimladau at neb na dim.

'I expect to *hear* you wee, alright?'

Mae mwy o breifatrwydd i'w gael mewn arch.

Yn bwyllog, mor dawel â phosib, codais gaead tanc dŵr y toiled ac estyn potel fawr o ddŵr yfed, un o'n i wedi'i chuddio yno oriau'n gynt. Agorais ei thop ac arllwys y rhelyw ohoni lawr y lôn goch gan ofalu bod digon ar ôl i weithredu'r twyll.

'Can you hear me in there? Are you listening to me? Madi?'

Ai Hi oedd tu allan i'r drws?!

Gyda gwên foddhaol, tolltais y dŵr i lawr y toiled ddiferyn ar y tro gan roi'r argraff i Siri ddiniwed a thwp fy mod yn piso'n iach.

'Every last drop, so that we can weigh you properly.'

Rhoddais y gorau i 'biso', rhoi'r botel yn ôl yn y tanc dŵr, a chau'r caead.

'Good girl. Now out ya come.'

Dadgloi'r drws a chamu allan mor ddiniwed ag oen blwydd. Ro'n i *yn* llawer rhy gyfrwys iddyn nhw!

'Jump on the scales for me.'

Rhaid bod golwg surbwch arna i.

'Who's knitted yer face and dropped a stitch? Smile, you're not dead yet!'

Roedd ei hiwmor braidd yn rhy ddu ar brydiau. Camais ar y glorian a gobeithio'r gorau.

Rhaid bod rhyw bwrpas i 'mywyd i. Efallai ei bod hi'n bryd i mi wneud yr hyn sy'n fy ngwneud i'n hapus, a gwerthfawrogi'r ffaith 'mod i'n dal ar dir y byw.

'You're doing well, girl.'

Roedd yn gas gen i gael fy ngalw'n '*girl*', ond mi roedd hynny'n well na '*divvy*'!

'You've gained three pounds! Another pound and I'll take ya to the Adelphi, Liverpool's poshest hotel when I was a kid!'

Am unwaith, roedd ennill triphwys yn newydd da. Dyna oedd fy nghynllun i geisio dengyd o'r carchar. Ennill pwysau, cael misglwyf, a chael mynd adre. Roedd bod yn ei chwmni Hi yn well na bod yng nghwmni'r hanner meirw oedd o'm cwmpas. Mae pobl fel rheol yn colli gwaed *cyn* mynd i'r ysbyty ond ro'n i'n gorfod colli gwaed cyn *gadael*. Prawf arall fy mod i'n wahanol ac yn unigryw.

Anodd credu bod rhywun rywbryd wedi cael y syniad gwych (?!) o osod drych hir tu allan i uned anorecsia. Sefais o'i flaen yn llawer rhy aml, yn pensynnu a phendroni. Cyffyrddais â'm hadlewyrchiad a holi yr un hen gwestiwn diflas, 'Pwy ydw i?' Doedd y ffaith 'mod i'n garcharor yn fy mhen fy hun ddim yn gymorth. Dim bywyd normal, dim bywyd real; roedd hynny'n peri dryswch, yn chwalu'n deilchion unrhyw obaith o gael trefn rhwng y ddwy glust. Roedd rhyw batrwm hyll yn ailadrodd ei hun:

– eistedd, meddwl

– darllen, meddwl

– arlunio, meddwl

– cysgu, meddwl

– deffro, meddwl

a hynny i gyd cyn, yn ystod ac ar ôl MEDDWL! Meddwl nes 'mod i ddim yn gwybod am beth yn union *ro'n* i'n meddwl, ac wedyn meddwl am hynny. Penderfynais un peth. Rhaid. I mi. Wella. Ro'n i eisio fy mywyd yn ôl. Ro'n i eisio fy *mwyd* yn ôl.

Hiraeth yw cariad ♡
syin gwrthod oeri

llythyrau

Gall y sawl sy'n hoff o brydau parod fwyta deuddeg blewyn cedor mewn blwyddyn!

Doedd yr un o'r ddau'n cael dod i 'ngweld i am gyfnod. Fy mhenderfyniad i. Rhoddais orchymyn pendant i fy therapydd fod ôl eu tinau ddim i ddod ar fy nghyfyl. Gwyddwn y byddai hynny'n destun trafod mawr yn tŷ ni, trafodaeth a fyddai'n rhoi rheswm da i Dad ohirio pob taith dramor a bod adre, neu o leia bod yn y cyffiniau. Deallais ei fod yn poeni amdana i'n fwy nag erioed ac yn awyddus i ymweld â'r uned, ond awgrymodd Hi mai gwell fyddai parchu fy nymuniad, dros dro o leia. Un peth oedd yn sicr, doedd y sefyllfa ddim yn un hawdd iddyn nhw, yn enwedig gan fod yr uned yn amharod i ddatgelu mwy o wybodaeth a manylion nag oedd raid dros y ffôn. Eu pryder mwya oedd y byddai'r ysbyty yn rhoi *section* arna i dan y Ddeddf Iechyd Meddwl. Dyna fyddai'n newid fy mywyd am byth. Byddai cael swydd wedi bod yn anodd. Heb swydd, heb annibyniaeth; heb annibyniaeth, heb ddyfodol llwyddiannus, llewyrchus. Fy mywyd fel rhes o ddominos! Ac roedd Hi, wrth reswm, yn barod iawn i'w atgoffa pwy adawodd y cartref, a phwy oedd felly'n gyfrifol am fy nghyflwr.

'Beth odyn ni am neud?' gofynnodd Dad mewn anobaith.

''Dan ni'n dau'n gwbod ar bwy mae'r bai, felly be wyt *ti* am neud?'

Be *oedd* o am ei wneud? Gofynnais am bapur, beiro ac amlen.

'*Annwyl Dad,*

Dwi'n sgwennu atat i ddeud 'mod i'm eisio colli chdi a sorri am yr holl boen dwi wedi'i hachosi. Ti ydy'r tad gorau allwn i gael. Ti ddim

*yn haeddu hyn. Dwi'n well rŵan ac am ddod adre. Yn fan'ma, dwi'n
teimlo'n fethiant llwyr ac yn ddibwrpas. Tydw i ddim yn gwbod be dwi
eisio na phwy ydw i'n iawn. Pan dwi'n gweiddi arna chdi, tydw i ddim
yn treio bod yn gas. Rhwystredig ydw i achos dwi'n methu bod yr hyn
ti eisio imi fod, a dwi eisio gwneud y gora i chdi. Sorri eto am y llythyr
gwirion yma ond chdi ydy'r unig beth 'sgen i ar ôl. Dwi'n dy garu di
gymaint a fydda i byth, byth yn medru ymddiheuro'n iawn.*

  Cariad, fi xxx

  O.N. Pryd wyt ti'n dod 'nôl adre?'

Gwyddwn y byddai'r ôl-nodyn yn ei lorio. Derbyniodd lythyr
arall yr un pryd – o'r uned, yn Saesneg. Roedd ei gynnwys yn
egluro'n glir beth oedd fy mwriad:

  ' *... and at her last review she made clear her wish to continue to try
to improve as an outpatient ...*' cyn ychwanegu, ' *... In my view, she
remains very disordered in her eating and the obvious physical risks to
her health concern me greatly.*'

Rhydd i bawb ei farn ac i bob barn ei llafar. Holis Llais ynglŷn
â'm cyflwr.

'Edrych yn dew. Pwyso saith stôn,' meddai'n ddiflewyn-ar-
dafod.

'Angen bod yn wyth stôn. *Rhaid* imi fwyta,' pwysleisiais.

Trodd Llais i ffwrdd mewn cywilydd. Anodd maddau iddi am
hynny. Ro'n i'n disgwyl cefnogaeth ac anogaeth gan ffrind gorau,
yn enwedig ffrind pennaf. Pam mae ffrindiau pennaf yn siomi
rhywun?

Bu cyfarfod pwysig o gwmpas bwrdd mawr rhwng yr
'arbenigwyr' – rheini oedd yn deall dim am y cyflwr ond yn *honni*

eu bod – i drafod beth oedd orau i mi. Do'n ddim yn bresennol ond mae'n rhaid bod y ceiliog ar dop y domen wedi penderfynu fy ngyrru adre i 'wella'. Adre. Ati Hi.

pannas

Rhaid i ferch gyffredin fwyta 1,500 calori y dydd er mwyn colli 1 pwys. Pan gerddais trwy'r drws, doedd y croeso ddim yn gynnes nac yn oeraidd. Roedd Dad wedi addo y byddai wedi galw draw i'm croesawu ond bu raid iddo fynd dramor ddeuddydd yn gynt. Felly dim ond y Geranium oedd yn fy nisgwyl, yn ei chadair wrth y ffenest. Syllodd arna i'n nerfus, ei llygaid yn crwydro i fyny ac i lawr fy nghorff fel ymgymerwr yn mesur ar gyfer arch. O'r diwedd, penderfynodd ddweud rhywbeth yn ei dull dihafal ei hun.

'Dwi wedi twtio dy stafell di. Hwfro. Dystio. Rhoi dillad glân ar y gwely.'

Saib. Nodiais fy mhen i ddangos fy ngwerthfawrogiad. Edrychodd ar fy nhedi bêr a eisteddai ar y stôl gerllaw.

'Twpsyn wedi dy golli di. Falch bo' ti 'nôl adre, medda fo.'

Amlwg ei bod yn ddynes unig iawn, yn siarad gyda thedi bêr.

'Os wyt ti eisio blanced arall ar y gwely, ti'n gwbod lle ma nhw, yn y cwpwrdd crasu.'

Teimlais fod dyletswydd arnaf i ddweud rhywbeth wrthi ond doedd yr un o'i brawddegau'n mynnu nac yn haeddu ateb.

'O ... a mae croesi iti ddefnyddio'r toiled fyny grisiau. Mae mwy o le rŵan ... dy Dad ddim yma.'

A oedd wirioneddol *raid* iddi fy atgoffa i?

'Reit. Ti adre. Croeso.'

Ia. Croeso.

Roedd Dad bellach yn byw ar ei ben ei hunan, rhyw ddwy filltir i ffwrdd. Gwrthodish ei wahoddiad i ymweld â'i fflat newydd, dwy stafell wely, gan ddweud wrtho y dylai ddod adre – yn fan'no, gyda fi, oedd ei le. Doedd ganddo ddim ateb parod ar y pryd, dim ond dweud ei fod o'n fy ngharu ac yn addo y byddai'r ddau – fo a Hi – yn gwneud eu gorau glas i ddatrys eu problemau a byddai dim rhaid i mi boeni'n ormodol. Ond sut allwn i beidio â phoeni? Doedd cartref bellach ddim yn gartref. Carchar oedd o. Powlen bysgod. A'r waliau'n gwrando wrth iddi Hi gadw llygad barcud arna i. Roedd rhywun mewn siwt wedi'i rhybuddio bod fy nghyflwr seicolegol a chorfforol yn fregus a Hi fyddai'n gyfrifol am edrych ar f'ôl. Golygai hynny ddiffyg preifatrwydd. Ystyriais gerdded o gwmpas y pentref yn noethlymun groen gyda megaffon yn fy llaw, yn cyhoeddi i'r byd a'r betws fy nghyfrinachau mwya personol. Am y tro cynta erioed, roedd Hi'n dangos diddordeb ynddo i ac yn fy holi fel twrnai.

'Wyt ti'n iawn?'

'Wyt ti'n bwyta digon?'

A chwestiynau personol.

'O, ia, anghofish ofyn – wyt ti wedi cael dy fisglwyf?' Roedd hi mor gynnil â chacen gwstard! Ac yn orawyddus i roi dewis i mi.

'A mae croeso iti gysgu ble bynnag t'eisio. Heblaw yn fy stafell wely i,' meddai, fel pe bawn wedi ystyried y fath beth.

Dewisiais gysgu yn y llofft gefn, llofft Dad cyn iddo adael.

Roedd ei aroglau yno o hyd. Gadawodd ei ôl yn y stafell ymolchi hefyd – potel *aftershave*, ei hoff un, ac un ro'n i wedi'i phrynu iddo ar ei ben-blwydd. Ond er bod aroglau atgofion o'm cwmpas, roedd adre'n teimlo'n ddieithr. Sedd wag o gwmpas y bwrdd bwyd, minnau'n dal i dreulio fy amser yn fy stafell wely, a Hithau'n ei chadair arferol yn cael trafferth dadlau gyda hi ei hun.

Y prydau bwyd oedd yr amseroedd gwaetha. Hi oedd yn mynnu coginio bellach, a olygai ei bod hi'n anodd imi ei thwyllo fel ag o'r blaen. A gyda Dad yn absennol, Hi hefyd oedd yn cynnig gras cyn bwyd.

'Gawn ni ddeud gras?'

'A sôn am gartre, iechyd a theulu?' gofynnais yn rhethregol. 'Syniad gwell. Be am beidio?'

Cytunodd, gyda gwên anfoddog.

'Meddwl 'swn i'n paratoi pryd da i ni'n dwy heddiw. Cig a llysiau ... o'r ardd. Joia.'

Edrychais ar bowlen lawn ar ganol y bwrdd.

'O, a mae 'na bannas. Do'n i ddim yn gwbod ... ddim yn *cofio* ... a o't ti'n eu hoffi ai peidio.'

Sylwodd fy modd yn syllu arnyn nhw.

'Does 'na fawr ddim o galorïau ynddyn nhw.'

Roedd Llais eisoes wedi cyfri'r calorïau.

'Un owns = 28.3495 gram. Calorïau = 19. Carbs = 3.5. Braster = 0.3,' sibrydodd yn fy nghlust.

Cymerais un banasen o'r bowlen a'i gosod yn ofalus ar fy mhlât.

'Dwi wedi rhoi mymryn o fêl ac *olive oil* arnyn nhw,' ychwanegodd.

'Mêl?'

'Iachus. Yn dda iti.'

Hwn oedd y cyfle euraid i gael fy mwyd a 'mywyd yn ôl. Brathais y banasen. Goleuodd fy wyneb. Roedd y blas yn gyrru ias i lawr fy nghefn. Rhoddais ochenaid fawr, bleserus.

'Rhyw ... rhywbeth yn bod?' gofynnodd Hi, yn ofidus.

Dechreuais fwyta'r pannas yn awchus a phentyrru mwy a mwy a mwy ar fy mhlât. Syllodd Hi yn gegrwth wrth i mi rawio'r llysiau.

'Be ... be ti'n neud?'

'Neud be ti *eisio* imi neud,' atebais yn syml. 'Bwyta!'

'Nid fel'na mae bwyta!'

Anwybyddais Hi, gan barhau i stwffio'r pannas i mewn i 'ngheg.

'Plis, Madelyn! Ti wedi cael digon!'

'Eisio mwy! Mwy! Mwy!' mynnodd yr anorecsig, y bwyta gorffwyll yn rhoi pleser pur iddi.

Yn sydyn, cythrodd am y plât a'i dynnu oddi arna i gan fy ngadael gyda llond ceg o bannas. Teimlais boen yn fy ngwddwg wrth i mi geisio llyncu.

'Be uffar sy'n blydi bod arnat ti, e?!'

'Be sy'n bod arna i? Be sy'n ffycin bod arna *i*?!'

'A phaid â rhegi!'

'Un munud rwyt ti – ti a phawb arall – *eisio* i mi fwyta, yn fy *ngorfodi* i fwyta, a wedyn pan dwi *yn* bwyta, pan dwi'n cael *pleser* wrth fwyta, yn *joio* bwyta, ti'n gwrthod *gadael* i mi fwyta!'

Ro'n i wedi'i chornelu.

'Dwi ... dwi jest yn poeni bod ti'n bwyta gormod, ac wedyn yn —'

'Ddim yn bwyta "digon", a rŵan dwi'n bwyta "gormod"?!'

'Nid dyna —'

'Dwi dan saith stôn! Sut alla i fwyta *gormod*?! Sut alli di *wrthod* gadael i mi fwyta?!'

'Dwi ddim *yn* gwrthod gadael iti —'

'Dim rhyfedd bod Dad wedi d'adael di!' gwaeddais, gan roi'r gyllell i mewn a'i throi. 'Ti'n hen ast!'

Taflais y pannas ar lawr, codi o'r bwrdd, rhedeg i fy stafell a chau'r drws yn glep ar f'ôl. Gallwn ei chlywed yn crio'n dawel. Sefais o flaen y drych a dechrau anwesu, pinsio a dyrnu fy nghorff.

'Binj cynta,' meddai Llais. 'Powlen o bannas. Llongyfarchiadau.'

O'r eiliad honno ymlaen, penderfynais y byddwn i'n dwyn bwyd o geg babi.

BLOG:

Trio cofio:

– be dwi'n hoffi

– be dwi'n gasáu

– be dwi eisio

– be dwi ddim eisio

– be dwi'n wneud

– be dwi angen

Neidiais ar y glorian. Chwe stôn. A mwy. Rhedais i'r gegin ac agor yr oergell.

'Hwch dew, hyll!'

Siom. Llawn o'i bwydydd iach Hi! Rhuthro'n ôl i'm stafell. Teimlais fy mod ar ymyl y dibyn cyn i Llais a minnau ddechrau gweiddi:

'Triniaeth! Cwacs!'

'Dad. Mam. Gwahanu.'

'Poeni. Bai.'

'Gorffennol. Dyfodol.'

'Gwella. Egni.'

'Byw. Hapus. Swits. Pen.'

'Ding!'

'Heno, dwi'n mynd i gael ffycin cyrri!' gwaeddais ar dop fy mhen, fel bod y byd a'r betws yn gallu fy nghlywed. Ffoniais ac ordro:

'Mixed tandoori platter, chicken kurma, rice, two poppadom, chapati, keema nan, Bombay potato, relish tray.' Ailfeddyliais. 'No, make that *two* keema nans!'

Doedd dim angen plât. Bwytais fel pe bawn heb weld bwyd erioed o'r blaen. Roedd ei flas a'i arogl yn brofiad dieithr a'r profiad o'i fwyta'n bleser, yn bleser *euog*. Ond roedd un broblem fawr. Nid oes priodas dda rhwng *laxatives*, cyrri a bwlimia. Do'n i byth yn rhy siŵr pryd fyddwn yn gorfod geni'r hyll. Allwn i ddim crwydro'n rhy bell o doiled, bwced, bin, tomen o dywod neu ddrôr fy ngelyn pennaf! Nid gwaith hawdd yw gwaredu banana, un cacen foron, deg adain cyw iâr a *cheesecake*, yn enwedig un sydd ddim wedi dadmer yn iawn! Er mwyn osgoi unrhyw 'ddamwain' eisteddais ar y toiled am oriau, chwys yn diferu i lawr fy nhalcen, cramp yn fy stumog, cyn chwydu fy mherfeddion.

Ac erbyn hynny, roedd chwydu'n grefft ro'n i wedi'i pherffeithio. Ond dyw perffeithrwydd ddim yn digwydd dros nos; mae'n waith caled. Bu raid arbrofi am ddyddiau, wythnosau, er mwyn darganfod beth oedd y ffordd orau. Doedd rhoi brwsh dannedd yng nghefn fy ngheg ddim yn gweithio, nac ychwaith yfed dŵr halen gyda llwyaid o fwstard melyn ynddo. Defnyddio fy mysedd oedd y ffordd rwydda. Dyddiau cynta, gosodais dri bys i lawr fy nghorn gwddwg. Ar ôl dygymod â hynny, defnyddiais ddau, a gwneud hynny bob dydd nes 'mod i'n arbenigwraig yn y grefft ac yn gallu chwydu trwy ddefnyddio dim ond yr un bys canol (y 'bys caru', fel mae o'n cael ei alw). Ymhen dim, gallwn gyfogi heb wneud yr un smic. Ac mi roedd y gallu i chwydu'n dawel yn bwysig er mwyn sicrhau ei bod Hi'n amau dim. Un bys, dim sŵn – dyna pam mai fi oedd yr anorecsig a'r bwlimig gorau yn y byd i gyd!

Ond roedd adegau pan o'n i'n cael pyliau o gydwybod. Ro'n i'n blentyn o uffern, yn ferch anghyfrifol, ac yn twyllo. Ond allwn i ddim dweud hynny wrth Dad na Hi oherwydd ro'n i hefyd yn llwfr. Ac felly'r unig ateb – y ffordd gachwraidd, ddi-asgwrn-cefn – oedd sgrifennu ebost, un yr un, i Dad a Hi. Cefais gymorth gan Llais.

Annwyl Rieni,

Sorri 'mod i fel ydw i. Dwi'n dew ac yn hyll, a dwi'n gwbod hynny. Ond alla i ddim rheoli'n hun. 'Sgen i'm syniad pam dwi ar y ddaear 'ma. Bodoli ydw i, nid byw. Bodoli i ddifetha'ch bywydau chi. Dwi mor unig. Yr unig beth sy'n gwneud i mi deimlo'n well ydy bwyta gormod. Efallai eich bod chi'n falch o glywed hynny – fy mod yn bwyta – ond dwi ddim. Dwi ddim yn perthyn i'r teulu yma bellach. Dwi ddim yn un ohonach chi. Teimlo bod pawb yn fy meirniadu. Casáu'n hun ... pwy bynnag ydw i.

Gwyddwn fod gen i gyfle euraid i fod yn gas wrthi Hi.

'Sorri bod ti wedi rhoi genedigaeth i mi. Er, wedi meddwl, dyna'r

unig beth ti wedi'i neud i mi. Hebdda i, 'sa'ch bywydau chi'n well.
Mae'n gas gen i feddwl am yr hyn dwi wedi'i golli. Cha i fyth mo
'mywyd yn ôl. Dwi wedi methu, Dad. A dwi ddim eisio trafod y peth
efo'r un ohonoch chi'ch dau.'

Awgrymodd Llais fy mod yn gorffen yr ebost blêr yn negyddol.

'Dwi ddim yn gwbod pam dwi wedi sgwennu hwn. Yn dew a hyll,
Madi.'

Roeddwn yn hanner gobeithio y byddai'r ebost yn eu gorfodi i gyfarfod, i drafod y cynnwys, ac efallai – yn sgil hynny – dod yn ôl at ei gilydd. Ond llwyddais i biso yn erbyn y gwynt.

seibiau

Mae caws wedi'i brosesu yn cynnwys llai na 51% o gaws. Ceir 114 calori mewn un dafell o gaws Cheddar.

Doedd rhai pethau byth yn newid. Fi'n eistedd yn fy nghwman yn y gadair yn edmygu'r patrwm ar y carped ac yntau'n eistedd gyferbyn, papur a beiro yn ei law, yn edrych dros ei sbectol hanner lleuad a oedd yn gorwedd ar flaen ei drwyn hir. A seibiau. Hir. Ond roedd digon o ddeunydd ailgychwyn sgwrs.

'Ebostio. Hynny'n haws na siarad efo nhw, wyneb yn wyneb.'

Nodiais, i gadarnhau.

'Atgoffwch fi.'

Hoffais y ffaith ei fod o'n fy nghyfarch gyda'r 'chi' swyddogol; rhoi rhyw ymdeimlad o bwysigrwydd i mi, fy mod i'n rhywun arbennig.

'Ers pryd mae'ch tad wedi gadael cartref?'

Er fy mod yn hanner disgwyl iddo ofyn hynny, fe'm lloriwyd am eiliad.

'Madelyn?'

'Pedwar mis,' sibrydais gyda chywilydd. 'Pedwar mis a thri diwrnod.'

'Ydach chi'n ei golli o?'

'Ydy'r Pab yn Gatholig?!'

Nodiais i gadarnhau fy mod i'n wir yn ei golli.

'Ydy o'n galw draw i'r tŷ i'ch gweld chi weithiau?'

'Yndi.'

Soniais ddim gair fy mod wedi gwrthod ei wahoddiad i ymweld ag o yn ei fflat. Beth pe bai rhyw ddynes arall yno ... heblaw'r ddynes lanhau?

'A sut brofiad yw hwnnw i chi?'

Oedais. A ddylwn i sôn am chwithdod yr ymweliadau rheini? Y seibiau rhwng y ddau dwi'n gofio. Heb os, rheini oedd y gwaetha. Seibiau do'n i ddim yn perthyn iddyn nhw. Hi, yn ôl ei harfer, yn syllu trwy'r ffenest, Dad yn edrych arni a Hithau'n edrych yn ôl. Byddai eu llygaid yn cyfarfod yn y gofod oeraidd rhyngddyn nhw cyn i lygaid y ddau edrych y ffordd arall gyda chywilydd. Roedd Hi'n gwybod beth roedd Dad yn ei feddwl, ac roedd o'n gwybod hynny. Eu gêm fach nhw oedd hi, gêm do'n i ddim yn rhan ohoni. Ar ôl saib hir, byddai Dad yn gofyn y cwestiwn:

'Am beth ti'n feddwl?'

Byddai Hi'n gwrthod ateb am ei bod yn gwybod nad oedd o wironeddol *eisio* gofyn y cwestiwn, na chael gwybod yr ateb.

Doedd y ddau ddim eisio trafod, felly doeddan nhw ddim yn dweud gair. Efallai doedd dim *i'w* ddweud. Ailofynnodd Dr Cwac y cwestiwn.

'Sut brofiad yw hwnnw i chi, Madelyn?'

'Unig,' atebais, mor onest ag y gallwn i.

Sgrifennodd rywbeth yn ei lyfr cyfrinachau.

'A'ch perthynas efo'ch mam. Sut fyddech chi'n disgrifio'r berthynas honno?'

Os oedd oedi'n gynharach, roedd oedi'r tro hwn. Sut allwn ei ateb? Allwn i ddim ateb y cwestiwn hwnnw'n onest hyd yn oed wrthaf i'n hun. Ro'n i eisio bod yn llwyddiant er mwyn *Dad.* Ond dim ond rhywun sy'n gallu rheoli'r *fam* sy'n gallu galw ei hun yn llwyddiant go iawn. Gallwn ei chlywed yn gweiddi:

'Dwi dy ofn di. Ti'n deall? Dy ofn di! Ofn 'mod i'n mynd i dy ffeindio di'n gorff yn dy lofft neu ar lawr y bathrwm. Alla i ddim byw mewn tŷ llawn ofn. Ti'n 'y nghlywed? Ti'n gwrando arna i?!'

Do'n i ddim *yn* gwrando arni, nac yn teimlo dim.

'Trwy'r dydd, bob dydd, ti'n boen meddwl i mi. Dwi wedi deud 'that ti … sawl tro … 'mod i'n dy garu, ond yr unig beth dwi'n ei gael ydy nodyn ar y bwrdd bwyd yn deud cymaint o hen ast ydw i, a cymaint ti'n fy nghasáu. Sut alla i garu rhywun sy'n fy ngalw i'n "ast", a gwaeth na hynny?!'

Efallai fod ganddi bwynt digon teg ond do'n i ddim am ddweud hynny wrth Dr Hardman.

'Chi'n eu beio nhw am eich cyflwr.' Gosodiad, nid cwestiwn.

Nodiais. Allwn i ddim fod wedi crynhoi pethau'n well fy hun. Clywais ei geiriau Hi'n glir yn fy mhen:

'Dy fai di ydy hyn! *Ti* sy'n *gwrthod* gadael i mi dy helpu di. Llwgu, torri dy hun efo cyllell, bygwth lladd dy hun, binjio, chwydu!'

'Fyddech chi'n dweud eich bod chi'n gallu rheoli'r ffordd chi'n bwyta?' Roedd ei holi'n dechrau mynd dan y croen.

'Na.'

Sgriblodd.

'Beth wnaethoch chi fwyta ddoe? Ydach chi'n cofio?'

Cofio? O'n, ro'n i'n cofio ddoe fel pe bai'n ddoe. Codais fy mhen, edrych arno â llygaid llonydd a rhestru'n undonog:

'Dwy *pastie*. Paced o sosej rôls. Tri phaced o grisps. Hanner torth, frown. Dwy *éclaire*. Un Battenberg. Paced a hanner o fisgedi siocled. Teisen afalau. Carton o hufen dwbl. A litr o ddŵr. *Dau* litr o ddŵr.'

Roedd ei wyneb yn bictiwr.

'Cymaint â hynny?'

Gwenais, gan wybod bod mwy o ddatgelu i ddod.

'A deg – *deg* bar mawr o siocled. Rhoi nhw mewn sosban, eu toddi, a'u rhwbio dros fy nghorff ... noeth.'

Byddai seiciatrydd llai profiadol wedi edrych arna i fel cwningen gyda mycsomatosis. Ond nid hwn. 'Swn i wedi cael mwy o ymateb gan gorff marw, a theimlais yn rhwystredig bod ganddo ddim hyd yn oed atal dweud.

'A sut o'ch chi'n teimlo wedyn?'

'Grêt. Ro'n i'n teimlo'n grêt.'

Gwenais fel sosej wedi'i hollti a daeth y sesiwn i ben. Fi oedd wedi gyrru'r car. Fi oedd wedi cyfeirio'r traffig. Fi oedd wedi rheoli. A dyna beth *oedd* teimlo'n grêt.

Nid torri mae calon
ond cleisio.

potel sos coch

Mae 19 calori mewn un llwy fwrdd o sos coch.

Toc ar ôl hanner awr wedi tri y bore. 3.33 a.m., i fod yn fanwl,
obsesiynol am y peth. Deffro. 'Ngwddwg i'n boenus. Methu cysgu.
Clawstroffobig. Roedd y nos fel pe bai'n cau amdana i ac roedd
lleisiau – nid Llais yn unig – yn fy mhen. Bob munud o bob awr,
brwydrais yn erbyn y diawliaid wrth iddyn nhw fytheirio arna i.
Roedd fy mhen yn lobsgows o feddyliau a geiriau.

'Pryder.'

'Poen.'

'Edifar.'

'Be ti'n neud ... wedi'i neud? Sut? Pam? Pwy?'

Roedd bywyd yn llonydd, yna'n wyllt, yna'n wyllt-wyllt-llonydd.
Ro'n i eisio pwyso'r botwm 'saib' ar yr un pryd â *fast forward* a *rewind*.

'Be wnei di fory? Be wyt ti am fwyta?' holodd Llais.

Agorais ddrws yr oergell.

'Soch! Soch! Soch! Soch!'

Roedd pen Llais yn gorwedd ar y silff.

'Hufen iâ!' meddai, gan lyfu gên.

Cydiais mewn twb mawr ohono, ei agor, a phawennu llond llaw
ohono i fy ngheg farus. Dyna pryd cerddodd Hi i mewn. Doedd
fy nhacteg ymosodol ddim wedi newid.

'Hapus rŵan, wyt ti? Llongyfarchiadau,' dywedais yn sarhaus,
gyda'r hufen iâ'n llifo i lawr fy ngên.

'Mae croeso i ti'n y tŷ 'ma ...' meddai'n dawel, nerfus.

'Wrth gwrs bod 'na!'

'Ond 'sna'm croeso i dy *gyflwr* di! Ti angen help!'

'Ti wedi difetha 'mywyd i!'

'Alla i ddim dy orfodi di i fwyta!'

'Ti wrth dy fodd pan dwi'n binjio, dwyt?'

'Dwi jest eisio i ti fod yn iach, yn hapus!'

'Wrth gwrs dy fod ti!'

'Pam wyt ti'n 'nghasáu i? PAM?!'

'*O leia ma hi'n bwyta!*' Doedd Hi ddim yn rhy hoff o gael ei dynwared.

'Ti'n hen ast fach hunanol sy wedi cael dy ddifetha ... gan dy dad!'

Gwyddai o'r gorau y byddai yngan ei enw yn peri loes. Doedd neb yn cael dweud gair drwg am Dad.

'Dwi wedi colli pob dim – fy siâp, fy hunan-barch, hyd yn oed fy nhin bach twt o dy achos di!'

'Fy achos i?!'

'Ia, chdi! Paid ti â deud 'mod i'n "wan", "ddim yn gall", yn "sâl", achos tydw i ddim! *Barus* ydw i, a fydda i ddim yn hapus tan fydda i'n denau, yn denau go iawn, felly paid ti treio pregethu wrtha i – dwi ddim eisio dy bregeth na dy ffycin help di!'

Taflais gadair o'r neilltu (newid o daflu llestri!) cyn gwneud yr hyn ro'n i bob amser yn ei wneud pan o'n i'n debygol o golli dadl, sef rhedeg i loches fy stafell wely gyda'r twb hufen iâ yn fy llaw. Ac yn disgwyl amdana i roedd Llais, yn rhy barod i osod y drych o'm blaen. Roedd f'adlewyrchiad yn un gwyrgam.

Ai fel hyn dwi'n edrych go iawn? A ddylwn i wisgo bag mawr du dros fy mhen fel 'mod i ddim yn gorfod edrych ar y lwmpen dew, hyll sy o 'mlaen i? Sut alla i edrych ar honna ... fi ... HONNA?!

Poerais ar y drych cyn stwffio llond llaw o hufen iâ i lawr fy nghorn gwddwg.

'Llanast,' meddai Llais. 'Colli pob rheolaeth.'

Tybiais fod gan y corff feddwl ar wahân i f'un i. A'r hyn roedd o'n feddwl yr eiliad honno oedd, 'Dyma'r tro ola ca i fwyd am ddyddiau, felly bwyda fi!' A dyna wnes i. Do'n i ddim yn malio botwm corn am sut na beth ro'n i'n ei lyncu; y bwriad syml oedd llenwi fy stumog, a oedd yn bwll diwaelod. Doedd Llais ddim yn fodlon gwyro o'r gwir.

'Teimlo'n fudr, ffiaidd.'

Dweud ei dweud – dyna oedd ei chryfder a'i gwendid erioed.

Daeth patrwm pendant i'm bywyd unwaith eto. Treulio oriau bob dydd yn stwffio'n hun, yfed peintiau o ddŵr a chwydu'r cwbl cyn i'r calorïau fynd i'r gwaed. A blogio. Mwy o flogio.

BLOG:

Dwi ddim yn deall y syniad o realaeth bellach. Mae dyddiau'n mynd heibio ond does dim yn real. A oes ffasiwn beth â bywyd go iawn? Ai dim ond cyfres o freuddwydion yw bywyd? Alla i ddim cofio'r misoedd diwetha. Does dim ffocws, nid yw neb na dim yn berthnasol. Mae pob diwrnod yn ddiddiwedd – pob awr, pob munud yn hir. Awr olaf yn niwlog. Fi, bwyd, y blog 'ma – does dim yn gwneud synnwyr. Efallai byddai'n well pe bawn i ddim yn anfon y blog achos dwi'n swnio'n nyts. Ha! Be uffar ydy'r ots, e?!

Pwysais y botwm, a'i anfon.

Sgwn i pwy fydd yn ei ddarllen? meddyliais. *Pwy fydd yn gallu uniaethu â mi? Pwy fydd yn gallu uniaethu a chydymdeimlo, ac yn fodlon ymateb?'*

Awr yn ddiweddarach, cefais ateb. Cysylltodd rhywun arbennig, rhywun oedd yn cydymdeimlo ac yn mynnu 'mod i'n ei gyfarfod yn syth. Dad. Cefais wahoddiad arall i fynd i'w fflat, ond gwrthodais. A doedd dim pwynt iddo ddod i'r tŷ oherwydd byddai'r Geranium yno. Cytunon ni mai gwell fyddai cyfarfod ar dir neb, sef caffi tawel yn y dref. I gael 'sgwrs breifat' – ei eiriau fo, nid fi.

Dad gyrhaeddodd gynta. Roedd yn eistedd wrth y bwrdd yn y gornel, wedi'i wisgo'n drwsiadus – siwt, coler a thei – yn ôl ei arfer. Roedd coffi latte 16 owns o'i flaen (190 calori) a gwydraid o ddŵr. Cododd ar ei draed i'm cyfarch fel gŵr bonheddig … neu fel tad a'i nerfau ar binnau.

'Hai.'

'Hai.'

Eisteddais i lawr yn y gadair wag gyferbyn, fy mhen yn plygu tuag at y llawr fel y ferch fwya swil yn y byd. Ro'n i'n anghyffyrddus yn ei gwmni, yn ofni beth oedd pwrpas y cyfarfod a beth oedd ganddo i'w ddweud. A oedd o wedi gadael cartref am byth? A oedd ganddo gariad newydd?

'Wy wedi ca'l gwydred o ddŵr i ti … o'r tap. Dim iâ.'

A dim calorïau.

Nodiais, gyda hanner gwên. Saib annifyr. Pwy oedd am gychwyn y sgwrs? Fo roddodd wahoddiad i mi, felly penderfynais mai fo ddylai wthio'r cwch i'r dŵr.

'Gwed 'tho i, Madi … pwy odw i i ti?'

Codais fy mhen ac edrych arno. Pa fath o gwestiwn agoriadol

oedd hwnnw? Dyna'r math o gwestiwn ddylai rhywun *arwain* ato a'i daflu i mewn ar ganol neu ar ddiwedd sgwrs, rhoi cyfle i mi rag-weld y cwestiwn a pharatoi ateb call, synhwyrol.

'Pwy odw i i ti? Gwed 'tho i.'

Mae ailadrodd cwestiwn yn mynnu, ac yn haeddu, ateb. Plygais fy mhen eto'n araf tuag at y llawr wrth i'r gorffennol rasio trwy'r meddwl, fy mywyd yn boddi mewn ôl-fflachiadau. Ac mewn un ystyr, mi *ro'n* i'n boddi.

'Ti ydy Dad. Dad oedd yn darllen stori Sinderela i mi pan o'n i'n eistedd ar ei lin; Dad wnaeth addo prynu slipars gwydr i mi; Dad o'n i'n stwffio'n hun rhyngddo fo a'i wraig ac yn cysgu'n ei gesail; Dad oedd yn rhoi bath i mi bob nos Sul; Dad oedd yn fy nghusanu tu ôl i 'nghlust ac yn gwneud i mi chwerthin; Dad oedd yn rowlio ar y llawr efo fi ac yn fy ngoglais; Dad ddysgodd enwau coed ac adar i mi.' Codais fy mhen ac edrych arno. 'Dyna pwy wyt ti. Dad.'

'Wy'n casáu dy weld di'n godde fel hyn,' sibrydodd, ei lygaid yn llenwi â dagrau. 'Wy moyn dy helpu di, neu o leia ffeindio rhywun arall i *roi* help i ti. Ond shwt alla i, a tithe'n gwrthod?'

'Dwi'n iawn.'

Estynnodd ei law a'i gosod ar y bwrdd bwyd, nid yn rhy bell o'r botel sos coch (587 calori mewn potel 570 gram). Gadewais fy nwylo rhwng fy nghoesau wrth siglo'n araf yn ôl a 'mlaen.

'Wy'n dy garu di. Ti'n *gwbod* 'nny. Ni'n dou'n ffrindie. Yn ffrindie agos. Wastod wedi bod, o'r diwrnod gest ti dy eni.'

Dim ond y gair 'caru' glywais i. Roedd o'n deimlad braf gwybod bod rhywun yn fy ngharu.

'Sa i moyn dy golli di i'r salwch, i'r cyflwr yffernol hyn.'

"Sna'm byd yn bod 'na i.'

'Wy a dy fam ddim 'da'n gily', ond dyw 'nna ddim yn golygu bo' dim teulu 'da ti. *Ma* 'da ti deulu. Ni'n dala 'ma, yn gefen i ti. Paid gadel i hyn strwa dy fywyd. Wy ... *ni* ... moyn iti wella. A fe wna i 'ngore i fod yn gryf ... i *ti*, Madi. Sa i'n gwbod beth arall alla i neud.'

Gosodwyd yr abwyd o'm blaen a cythrais am y bachyn. Edrychais ym myw ei lygaid.

'Wyt, mi rwyt ti. Ti ... ydy *Dad*.'

Treiddiodd fy mygythiad emosiynol yn syth i'w galon. Mewn gêm dennis byddai'r bêl bellach yn ei ochr ef o'r cwrt. Ond ni chafodd ei tharo'n ôl. Roedd y siom yn fy mygu. Codais o'r bwrdd, cefnu arno a rhuthro allan.

'Madi? MADI?!'

Canodd cloch fach y drws a chau'n glep ar fy ngobeithion.

vanessa atalanta

Nid oes protin na siwgr mewn dŵr. Mae'r corff yn llosgi 70 calori wrth gynhesu 64 owns o ddŵr oer.

Tŷ. Fy stafell wely. Wedi diflasu. Dim ond fi, Llais, bwyd wedi'i guddio, a Hi lawr grisiau'n sipian Prosecco wrth chwilio am yr *in vino veritas*. Dyna oedd crynodeb o 'mywyd diffrwyth, dibwrpas. Ceisiais fod yn gadarnhaol wrth feddwl beth ddylai fod yn bwysig i mi:

– cario ymlaen i ddysgu

– cario ymlaen i ddatblygu

– cario ymlaen i symud

– cario ymlaen i wneud yr hyn oedd yn bwysig i mi, a neb arall

– cario ymlaen i fwyta digon i 'nghadw i'n fyw

Jest. Cario. Ymlaen.

Doedd Dad ddim wedi trio cysylltu ers ein cyfarfyddiad yn y caffi. Ac roedd hynny'n peri dryswch. Ei ddyletswydd oedd cyfathrebu â'i blentyn, ei *unig* blentyn … ei *ferch,* yr un roedd o'n honni ei fod yn ei 'charu'. Hir pob aros, a doedd dim i'w wneud ond chwarae mwy o gemau gyda Llais.

Y ffefryn oedd 'Cwestiwn ac Ateb'. Llais yn holi a minnau'n ateb … yn *ceisio* ateb. Doedd dim trefn na chysylltiad amlwg rhwng un cwestiwn neu osodiad a'r llall – dim dilyniant twt, rhesymegol, fel pe bai'r weiars yn y pen wedi croesi.

'Hoff atgof?'

'Bwydo pysgod aur gyda Dad.'

'Cred?'

'Dim Duw, dim Crist, a tydi Dyn ddim 'di bod ar y lleuad.'

'Colli deigryn?'

'Bore heddiw.'

'Rhywbeth pleserus?'

'Deffro.'

'Amhleserus?'

'Cael fy siomi.'

'Anhapus?'

'Funud yn ôl.'

'Dyfodol?'

'Edrych yn ôl ar heddiw, a chwerthin. Neu yn gorff.'

'Be sydd ar y bwrdd wrth ymyl y gwely?'

'Llyfrau fydda i byth yn eu darllen nac yn bwriadu eu darllen, ond sy'n neud i mi edrych yn glefer. A dŵr. Bob amser, potel o ddŵr.'

'Caru?'

'Dad.'

'Casáu?'

'Hi.'

'Y peth mwya rhyfeddol?'

'Byw. Bywyd. Bodoli.'

'Iselder?'

'Dyddiau shit. Meddyliau shit. Shit.'

'Dianc?'

'Cwsg. Neidio oddi ar y dibyn.'

'Deud sorri?'

'Wrth bawb.'

'Newid un peth?'

'Dad a Hi.'

'*Un* peth.'

'Dad a Hi.'

Yn dilyn un o'r sesiynau hynny, teimlais fy mod am ailddechrau byw eto a chanfod 'yn hunan. Ond doedd pawb ddim yn rhy hoff o'r syniad hwnnw.

'Tatŵ? Ti wedi cael blydi tatŵ?!'

Doedd dim yn rhoi mwy o foddhad na gweld siom ar ei hwyneb.

'Vanessa Atalanta.'

'Pwy?'

'Beth,' cywirais. 'Pilipala. *Red Admiral.* Fy hoff bilipala pan o'n i'n blentyn.'

'Wnest ti addo i fi 'sat ti byth yn cael tatŵ.'

'Ma addewidion yno i'w torri.'

'A 'sat ti byth yn difetha dy gorff.'

'Braidd yn hwyr i hynny, ti'm yn meddwl?'

Roedd gen i sawl bwled yn barod i'w thanio.

'Wyt ti 'di meddwl sut fydd o'n edrach pan fyddi di'n hen, pan fydd dy groen wedi crebachu?'

'Fydda i byth yn hen. Mi fydda i'n helpu tyfu blodau yn y fynwent cyn bydda i'n hen.'

Ymdawelodd.

'Dangos. Ble mae o?'

'Ar rywle lle mae'r haul yn codi, yn ôl chdi!'

'Pam? I be?!'

''Sat ti dim yn deall. 'Swn i ddim yn disgwyl iti ddeall.'

'Be wyt ti'n neud, Madelyn? Be wyt ti *eisio* gen i?!'

Gwenais yn sarhaus, cyn ei gadael gyda'i gwydryn yn ei llaw. Doedd dim pwrpas egluro iddi am y boen ro'n i angen ei theimlo. Poen y nodwydd, poen wahanol ar fy esgyrn brau, a phoen oedd yn dilyn penderfyniad yr o'n i – Madi – wedi'i wneud. Nid Dad, nid Hi, ond *fi*, a hynny ar ben fy hunan bach. Ond roedd y cymylau duon yn hofran uwch fy mhen, yn fy ngorfodi i wneud penderfyniadau eraill, rhai llawer mwy difrifol na chael tatŵ ar foch chwith fy nhin mawr. Ac ei bai Hi oedd hynny, Hi a neb arall.

Dechreuais yfed mwy. Lot mwy. Nid dŵr, ond alcohol. Hynny'n help i foddi'r lleisiau yn y pen. Gwin oedd y diafol – gwin coch, llai o gemegau ynddo na'r gwyn. Ond – a dyma'r 'ond' mawr – mwy o galorïau.

– potel o win coch gwael – 644 calori, neu 14 Jaffa Cake, neu fyrger caws a sglodion

– potel o Merlot – 850 calori (96 mewn gwydraid bach)

– potel o win gwyn – 605 calori

– gwydraid *mawr* o win gwyn – 190 calori, neu dwy a hanner bisged *digestive*

Ond gwell gwin na chwrw:

– peint yn 180 calori, neu ddarn o bitsa, neu 4 *nugget* cyw iâr

– peint o gwrw cryf yn 256 calori, neu fag anferth o sglodion.

Ond do'n i'n poeni dim iot am y calorïau. Credais fod calorïau alcohol yn wahanol i galorïau bwyd. Roedd calorïau alcohol yn gwneud i mi anghofio. Doedd dim ots am neb na dim, tra bod y giwed arall yn fy atgoffa 'mod i'n llai na saith stôn, un pwys a hanner ac yn bwyta fel hwch focha. Yr unig broblem gyda'r alcohol oedd y bore trannoeth – pen yn cnocio, chwd ar fy mhyjamas, stumog fel Moby Dick a gwaedd o lawr grisiau:

'Wyt ti wedi dwyn fy ngwin i o'r ffrij?! Dwi ddim yn mynd i lanhau'r blydi toiled 'na ar dy ôl di. Ti'n 'y nghlywed i? Ti'n gwrando 'na i? Madelyyyn?!?'

Doedd cadw'r binjio'n gyfrinach ddim yn waith hawdd; roedd rhaid meddwl am nifer o lefydd i guddio'r bwyd o gwmpas y tŷ. Fel alcoholig yn cuddio poteli, mae'r bwlimig yn cuddio bwyd mor ofalus â gwiwer. Fy stafell wely oedd y pencadlys. Cypyrddau, tu ôl i'r cypyrddau, dan y cypyrddau; droriau, tu ôl i'r droriau, dan y droriau; dan y gwely, tu ôl i'r gwely, *yn* y gwely; dan y carped, dan y mat; dan y gobennydd, *yn* y gobennydd. Roedd llochesi cudd diddiwedd. A gan bo'r wiwer wedi storio'i bwyd mor dda, roedd rhaid iddi ei fwyta, a hynny ar frys cyn iddo ddirywio. Roedd meddwl am yr holl fwyd yn creu cyfnodau o egni aruthrol. Arferwn eistedd ar fy ngwely, fy nghoesau wedi'u croesi, wedi fy amgylchynu gan fwyd. Ond doedd un, dau, tri gwydraid o win ddim yn ddigon i'w olchi i lawr. Rhaid yfed pob diferyn o'r botel. Ac roedd y binjio'n bleser.

– pecyn o fisgedi

– torth (frown, gwell *laxative)*

– pot o jam

– bar mawr o siocled

– *doughnuts*

– mwy o fisgedi

– *Swiss roll*

Edrychais ar fy mol. Ble mae o i gyd yn mynd?

'Colli. Pob. Rheolaeth. ETO!' atgoffodd Llais, gyda chywilydd.

'Dwi'n trio 'ngorau glas i beidio.'

'Dy orau jest ddim digon da, ydy o?' heriodd Llais, gan adleisio Dad.

Ac efallai ei bod hi'n iawn. Oedd, mi roedd hi'n iawn. Yn berffaith iawn.

Byseddais fy stumog. Allwn i ddim cario 'mlaen i fyw fel hyn. Poen, fy stumog i'n orlawn, y croen wedi'i ymestyn hyd at yr eitha, lympiau a blew mân ar y croen, teimlo'n ddiog, cur pen, nosweithiau di-gwsg, chwydu.

'Shit! Mae bywyd jest yn SHIT!'

gwyryfdod

*Mae llawer o brotin mewn iogwrt Groegaidd plaen, braster llawn,
ond 310 calori mewn 1 llond cwpan.*

Roedd rhaid i mi ymbwyllo, ailasesu. Angen fy mywyd yn ôl –
bywyd yn cynnwys:

    teulu, ffrindiau, hapusrwydd,

    coleg, graddio, annibyniaeth,

    amser, egni, ffocws,

    perthynas, cariad,

    'RHYW!' gwaeddodd Llais, fel dynes despret.

Rhyw?

Am y tro cynta yn fy mywyd ifanc, meddyliais am ryw, a *chael*
rhyw. Hyd yma, rhywbeth yr oedd genethod eraill yn siarad
amdano, ac yn ei wneud, oedd rhyw. Doedd dim cyfri calorïau
na bwyd ynghlwm wrth y gair, ac o ganlyniad doedd y weithred
ddim yn bwysig nac yn haeddu blaenoriaeth. Roedd colli chwant
bwyd yn cyd-fynd law yn llaw â cholli chwant rhywiol. Ond ro'n
i'n fy arddegau a'r hormonau i fod ar dân, ond roedd gen i lai o
libido na phanda. Ar ganol fy arddegau, fi, mae'n bur debyg, oedd
yr unig wyryf yn y dosbarth, *os* oedd pawb yn dweud y gwir. Pan
gefais fy nghornelu gan Tracy Smalling (enw addas i fwli os bu un
erioed!) do'n i ddim yn rhy onest fy hunan.

'Hei, chdi! Wyt ti 'di chael hi byth?'

Roedd Tracy mor gynnil ag *air raid*.

'Do. Ddwywaith.' Tyfodd fy nhrwyn.

'Efo pwy?!'

'Y ... dwi'm yn cofio.'

'Ti'm yn ffycin cofio?!'

''Sat ti ddim yn 'i nabod o.'

'Dim Troy Baker. Ma hwnnw efo fi, ocê?'

Ken a Barbie. Troy a Tracy.

'Na. Dim Troy. Rhywun o Ffrainc.'

'O Ffrans?!'

'Pierre. Pan o'n i ar 'y ngwylia. Holides.'

'Pierre.'

'Ia.'

'O. Reit.'

A gyda hynny o wybodaeth a gronyn o amheuaeth yn ei llygaid, dechreuodd gnoi'n galed ar ei *chewing gum* a throi ar ei sawdl.

Ond mi oedd cael rhyw, neu beidio cael rhyw, yn rhywbeth arall oedd yn fy nghadw'n effro yn y nos.

'Bwysig cofio'r rheolau,' atgoffodd Llais.

'Yndi.'

Y rheolau'n fras oedd:

– dim rhyw cyn 'mod i'n dair ar ddeg oed (tic)

– ar ôl cael rhyw, peidio dweud wrth neb

– mynd allan efo'r bachgen am fis, o leia

– ar ôl rhoi lemon iddo fo, peidio mynd allan efo neb arall yn syth

– cael rhyw yn rhy gynnar yn y berthynas a dwi'n *slag*

– cael rhyw rhy hwyr yn y berthynas a dwi'n *frigid*

– peidio bod y gyntaf na'r ola yn y dosbarth i gael rhyw

– symud efo'r praidd ac aros yn saff yn y canol

A dyna wnes i. I raddau. Penderfynu symud gyda'r praidd. Dewis hwrdd, corlan glyd a cholli yr unig beth oedd gen i ar ôl i'w golli – fy ngwyryfdod. A dyw rhywun byth yn anghofio'r tro cynta, y profiad na'r person. Ac am unwaith, do'n i ddim gwahanol i bawb arall.

Adeiladwr oedd o. Wedi'i fedyddio'n 'Lee', doedd o ddim yn debygol o fod yn Brif Weinidog na rhoi ei draed ar y lleuad. Prentis, a olygai fod rhych ei din ddim eto yn y golwg. Yn naturiol, ro'n i'n uffernol o nerfus. Doedd neb wedi bod yn agos i mi. Doedd neb wedi *cael* bod yn agos i mi. Dad oedd yr unig un oedd yn cael rhoi cwtsh i mi. Holais nifer o gwestiynau i mi'n hun:

Be os neith o ofyn am gusan? Tydi fy nannedd ddim mor wyn â hynny, y chwydu dros y blynyddoedd wedi'u melynu. A be os neith o afael o gwmpas fy nghanol? Mi deimlith fy esgyrn. Beryg imi freakio! *A be os penderfynith o fy mod i'n atgas, yn ffiaidd, yn dew? Be fydd o'n feddwl o 'mronnau i – dau wy wedi ffrio – ydyn nhw werth grôp?*

Caffi am goffi. Dyna lle aethon ni. Wedyn i'r parc ac eistedd ar fainc lle lapiodd o'i fraich amdana i, o gwmpas fy ysgwyddau, a fy ysgwyddau sy'n penderfynu a ydw i'n hapus ai peidio. Dechreuais grio.

'Ti'n ocê? Be ffwc sy'n bod?' gofynnodd.

Roedd Lee'n gwybod sut i drin geiriau a siarad gyda merch. Aeth fy meddwl yn un ras wyllt.

'Ffilm. Neithiwr. Trist.'

'Pa ffycin ffilm o'dd hi?' gofynnodd, yn gyflythrennol.

Ailfeddwl ar wib.

'*War Horse.*'

'Ffilm gachu,' meddai'r adolygydd craff.

'Oedd. Ond trist.'

Ar ôl i'r dagrau sychu, awgrymodd ein bod ni'n mynd yn ôl i'w gartref. Roedd ei rieni i ffwrdd ar eu gwyliau a'r tŷ'n wag. Cartref digon cyffredin, un oedd yn addas i deulu plymar a'i wraig o'n gweithio'n Lidl. Doedd dim llyfrau ar y silffoedd na ffrwythau yn y fowlen ar fwrdd y gegin.

Efallai mai fel hyn oedd y rhelyw o bobl yn byw. Teulu ni oedd yn wahanol.

Doeddan ni ddim wedi bod trwy'r drws mwy na deg munud pan awgrymodd ein bod yn mynd i'w lofft i 'orwedd lawr'. Oedais.

'Wyt ti'n *frigid*?' sibrydodd Llais, yn heriol.

Agorodd y drws a syllais o gwmpas ei stafell wely.

Plaen. Fel ei wyneb.

Cusanodd fi'n galed ar fy ngwefusau cyn dechrau datod botymau fy mlows a'i llithro oddi ar fy ysgwyddau. Anadlais yn drymach.

'Fyddi di'n ocê. No probs,' dywedodd, cyn ychwanegu'n wylaidd, 'Dim chdi ydy'r gynta i mi.'

Cadarnhaodd fy marn ei fod yn ddyn sy'n gwybod *beth* i'w ddweud a *phryd* i'w ddweud. Tynnodd weddill fy nillad llac, heblaw am fy nicyrs, a sefais o'i flaen yn noeth gyda 'nwylo a 'mreichiau yn gwarchod fy mronnau. Rhwygodd ei ddillad i ffwrdd fel pe bai ar dân, cyn fy nhywys i'r gwely sengl a gorwedd. Dyna pryd ddoth y panic wrth i mi feddwl a gorfeddwl.

'Ydw i fod i … ? A be os ydw i ddim fod i …?'

Do'n i ddim wedi cael y profiad iasol hwnnw ers pan o'n i'n ferch fach dair oed ar gefn beic. Dangosodd ei biji-bo (gair a glywais yn yr ysgol gynradd!) i mi. Awgrymodd fy mod yn ei chusanu.

Er mawr siom i Lee, oedais am yr eildro. Mynnodd fy mod yn gafael ynddi gyda dwy law. Edrychais arni eto a phenderfynu y byddai un llaw yn ddigon. Y llaw dde – fy llaw sgrifennu ac arlunio – yr un greadigol. Yna, gwthiodd fy mhen i lawr rhwng ei goesau. Penliniais ac edrych i fyw ei un llygad. Be o'n i fod i'w wneud nesa? Wincio arni? Winciais, ond gwrthododd wincio'n ôl. Dechreuodd y prentis golli ei amynedd.

'Be ffwc ti'n neud?' gofynnodd Mr Sensitif. 'Neith hi'm dy frathu di!'

Roedd hynny'n beth gwirion a pheryglus ac, o bosib, poenus iawn i'w ddweud, o gofio 'mod i bron â llwgu. Ac yna daeth y syniad rhyfeddaf i 'mhen. Os wneith o'r hyn mae o'n dymuno'i wneud ac yn *debygol* o'i wneud, sgwn i sawl calori fydd mewn llwyaid? Cymaint ag *olive oil?* Ond trwy lwc, chwistrellodd ei lwyth dros ochr y gwely, dros boster o gar Ferrari coch ar y wal. Ond doedd Romeo ddim wedi gorffen fy ngharu (yn wael). Dechreuodd fy myseddu'n flêr, fel dyn dall yn ymarfer *braille.*

Anodd credu y medar hwn ffeindio'r botwm pleser efo sat nav.

Yna stopiodd yn sydyn, cyn edrych ar fy nghorff o'r corun i'r sawdl. A hynny am hydoedd.

Siŵr ei fod o'n meddwl ei fod o'n syllu ar un o beintiadau Lowry, pe bai'n gwybod pwy **oedd** *Lowry!*

Gwthiodd fy nghoesau ar led.

'Plis, plis paid â 'mrifo fi,' dywedais yn dawel. Rhoddodd ei law chwith rhwng ei goesau a phwyso yn fy erbyn. Syllais ar y nenfwd a sylwi ar y gwe pry cop yn rhaffu'r bylb a'r *lampshade* cyn iddo ...

'Aaaa!'

Munud. Llai na munud. Y munud hiraf erioed. Caeodd ei lygaid yn dynn, gwingo fel pe bai rhywun wedi rhoi procar poeth i fyny ei din, a rowlio oddi arna i. Teimlais wlybaniaeth. Roedd ychydig o waed ar y gynfas, cymaint â'r hyn ddiferodd i lawr fy nghoes yn y gawod. Sylwodd o ddim fy mod i'n wyryf. Bu ennyd o dawelwch cyn i'r dagrau lifo. Ei ddagrau o. Doedd gen i'm syniad pam. Efallai mai dyna oedd dynion yn ei wneud ar ôl caru. Cynigiais, yn garedig iawn, fynd â'r cynfasau gwely adre i'w golchi. Na, roedd popeth yn iawn – byddai ei fam yn eu golchi ar ôl dod 'nôl. Gwisgais, dweud 'diolch' wrtho, a cherdded adre.

Roedd y tap yn dal i ddiferu wrth i mi ei droi ymlaen a chael cawod ... cawod boeth ... arall.

Ro'n i'n teimlo'n fudur. Ac yn oedolyn.

hunanladdiad araf

Eirinen wlanog mewn tun oedd y ffrwyth cyntaf i'w fwyta ar y lleuad. Ar y Ddaear, mae eirinen wlanog yn cynnwys 39 calori.
Ni welais mohono ar ôl y diwrnod hwnnw. Na chlywed gair oddi wrtho. Wel, nid yn fy wyneb. Ond mi soniodd amdana i ar y cyfryngau cymdeithasol, chwarae teg iddo fo. Agorais Facebook a dyna lle roedd ei eiriau caredig.

'Tits bach. Yr unig ferch dwi'n nabod efo dau gefn.'

Brwnt. Brifo. Hyd at yr asgwrn. Sgrech, taflu'r iPad a dyrnu'r llawr mor galed ag y gallwn i, nes bod fy nyrnau'n biws. Estynnais un o'r bocsys bwyd oedd wedi'u cuddio o dan y gwely, gwagio'r cynnwys ar y gwely a dechrau bwyta popeth o fewn fy nghyrraedd yn orffwyll. Wrth rwygo'r papur oddi ar y siocledi a'r bisgedi, doedd y teimladau ddim yn real. Ffeithiau oedd yn real ac un ffaith anorfod mewn bywyd yw bod shit yn digwydd a bod rhywun – rhywun fel fi – ar adegau'n gorfod dioddef a delio efo'r shit hwnnw.

'Sut alla fo neud hynna?' gofynnodd Llais yn gydymdeimladol.

'Dylwn i ddim fod wedi gadael iddo fy —'

Allwn i ddim dweud y gair. Roedd o'n air hyll, un oedd yn fy atgoffa o'r boen, a'r cywilydd ... a'r siom.

'Mae gen y corff feddwl ei hunan, wedi'r cwbl.'

'Roedd o'n teimlo fel y peth iawn i'w neud ar y pryd,' oedd fy esgus.

O'r diwedd ro'n i wedi cyfrannu i'r broses o aeddfedu, wedi cymryd cam ymlaen ond wedi gorfod talu pris uchel – pris cyhoeddus – am wneud hynny. Ond doedd dim dwywaith 'mod i eisio colli 'ngwyryfdod. Ar ôl magu pwysau, ro'n i'n haeddu cael fy ngharu'n gorfforol.

'Tydw i ddim yn slwt, ddim yn hwran, ddim yn ...'

'Ond mi fydd pobl yn *meddwl* hynny.'

Doeddwn ddim yn rhy hoff o'r ffaith bod Llais yn mynnu torri ar fy nhraws ar adegau.

'Honna 'di gweld mwy o *ceilings* na Michelangelo – dyna fydd pawb yn ei ddeud.'

Ia, dyna fydd pawb yn ei feddwl a'i ddeud.

Penderfynais waredu'r ffôn symudol. Dim mwy o e-byst, *skypio,* Facebook, Twitter, Instagrams, DIM! A dyma oedd yr adeg berffaith i gael sylw a chydymdeimlad ... a disgrifio fy angladd wrth Llais!

'Angladd mawr. Lliwgar. A neb i wisgo du achos dwi'm eisio galarwyr yn edrych yn deneuach na fi! Cadw'r arch ar agor, dweud wrth bawb am gerdded heibio er mwyn iddyn nhw gael gweld pa mor ffab dwi'n edrych. Angladd Madi, angladd i'w gofio – yr angladd gorau fu erioed!!' Rhedais i lawr grisiau a gweiddi reit yn ei hwyneb Hi.

'Glywist ti hynna?! Wyt ti'n gwrando arna i?! Fy angladd i fydd yr angladd gorau erioed!'

Dechreuais chwerthin fel rhywun o fferm ffwndro cyn mynd i'r gegin a dechrau taflu llestri yn erbyn y wal. Safodd Hithau yn y drws a syllu'n fud arna i, cyn codi'r ffôn a deialu rhif cyfarwydd.

Shit!

Erbyn diwedd y prynhawn, roeddwn yn ôl yn swyddfa Dr Hardman ac yn eistedd yn fy nghadair arferol, yn fy nghwman.

'Ydach chi *eisio* marw?' gofynnodd y llais melfedaidd.

Nodiais ei bwyslais ar y gair 'eisio'.

'Ydach chi eisio *marw*, Madelyn?'

Newidiodd y pwyslais.

Clyfar. Ac effeithiol. Gwneud i'r claf feddwl yn ofalus am holl oblygiadau'r cwestiwn.

'Na.' Prin o'n i'n gallu clywed fy hun yn ateb.

'Ond dach chi wedi dechrau colli pwysau unwaith eto.'

Roedd hynny'n syndod i mi ac yn gwbl groes i'r hyn ro'n i'n feddwl ro'n i wedi'i wneud. Y binjis – siawns 'mod i wedi ennill pwys neu ddau? Neu a oedd y llwgu a'r chwydu wedi sicrhau bod hunan-dwyll ar waith unwaith yn rhagor? Nodiais. Allwn ddim dadlau â'i glorian, a oedd yn fwy gonest na fi.

'Hunanladdiad araf yw hyn. Dach chi'n cytuno?'

Hunanladdiad?! Hunanladdiad oedd cael rhaff gyda chwlwm rhedeg a chrogi oddi ar goeden; cerdded i mewn i'r môr a boddi; gosod piben *exhaust* yn y car, cau'r ffenest a thanio'r injan; yfed gwenwyn, digon i ladd ceffyl; gosod gwn *twelve-bore* dan glicied gên ... nid cuddio caloriau yn fy mhocedi a gadael bwyd ar blât!

'Hunanladdiad araf, ond eto dach chi *ddim* eisio marw.' Ei drydydd pwyslais gwahanol. Roedd Dr Cwac yn feistr ar ei grefft.

'Be sy'n mynd i ddigwydd i chi, Madelyn?'

Codais fy mhen yn araf, a'i herio'n dawel.

'Dwn i'm. Deudwch *chi* wrtha i. Be sydd *yn* mynd i *ddigwydd* i mi?'

Defnyddiais bedwar pwyslais mewn dwy frawddeg fer er mwyn ceisio'i daflu oddi ar ei echel. Ond chafodd mo'i daflu. Rhoddodd ei feiro i lawr yn araf ar ei bad papur, rowlio'i dafod o gwmpas ei geg a seibio. Dyna mae doctoriaid a seicolegwyr yn ei wneud cyn torri newydd drwg neu roi rhybudd ysgytwol.

'Anorecsia.'

Gwbod hynny'n barod, DOCTOR!

'Eich corff yn bwyta'i hun er mwyn cael ei gynnal. Iselder, blinder, teimlo'n wan, llewygu.'

Fel pe bai'r darlun ddim digon digalon, dechreuodd ddefnyddio termau meddygol, sbïwch-arna-i.

'*Osteoporosis. Lanugo.* Eich esgyrn yn frau, eich cefn yn mynd yn gam. Mi fyddwch yn ugain oed ond yn edrych yn bedwar ugain.'

Pedwar ugain?! Fy atgoffa o fronnau mawr fy hen nain.

'Dim misglwyf, dim plant, dim teulu.'

'Dwi'm eisio teulu,' dywedais, gan geisio'n ofer i roi taw arno.

Munud o heddwch

'Bwlimia. Eich boch, eich gên yn chwyddo. Chwydu parhaol yn achosi *esophageal rupture*. Ylsars, *anaemia*, deiarîa, pwysau gwaed isel, eich iau'n darfod, y galon yn gwanio, cael trawiad … cael cancr ar y fron, yr *uterine*, y colon …'

'**FY MYWYD I YDY O!**' gwaeddais mor uchel â phosib, gan feddwl mai dyna oedd y ffordd orau o gau ei geg.

Saib. Ni chynhyrfodd o gwbl, dim ond pwyllo'n broffesiynol.

'Ia. Eich bywyd chi ydy o, Madelyn. Ond sut *fath* o fywyd? Mm?' Pwyslais gofalus arall, a'r 'Mm' rhethregol yn fy llonyddu, cyn ei frawddeg heriol olaf.

'Mi alla i, Madelyn … fi, eich rhieni, eich ffrindiau …'

Pa 'ffrindiau'?

'Gallwn ni agor y drws, ond dim ond chi all gerdded trwyddo.'

Syllais dros ei ysgwydd. Trwy'r ffenest, gwelais haul gwan y gaeaf yn machludo rhwng cist a phared. Od fel mae rhywbeth syml, di-nod fel yr haul yn cuddio tu ôl i gwmwl du yn gallu bod yn rhywbeth arwyddocaol iawn.

Yr eiliad honno, dymunais fod yn fardd, nid yn arlunydd.

hi rhif 3

Wrth redeg, mae merch gyffredin yn llosgi tua 100 calori pob milltir.
Yn fy stafell. Yr un hen diwn gron yn fy mhen.

Mae unigrwydd yn gallu bwyta rhywun. Mae'n arteithiol. Ac yn waeth na hynny, mae'n atgas.

Ymhen amser, sylweddolais mai un o'r elfennau gwaetha oedd y cywilydd hollbresennol – y gred bod teimlo'n unig yn ddrwg ac yn rong, yn fethiant i'w gadw'n gyfrinach. Ond mwya'n byd o'n i'n meddwl amdano, mwya'n byd roedd hynny'n swnio'n afresymegol. Wedi'r cwbl, mae miloedd ar filoedd o bobl yn teimlo'n unig, felly pam na ellir ei drafod a'i wynebu? Ro'n i eisio ailosod unigrwydd yn nhrefn y cyflwr dynol naturiol, ei wneud yn rhan o 'mywyd bob dydd, anghyffyrddus ond yn un y gellid ymdopi ag ef. Dechreuais sylweddoli bod fy unigrwydd yn cael ei achosi gan y ffaith 'mod i'n anifail anghymdeithasol ac yn hybu diffyg agosrwydd. Nid yw unigrwydd yr un peth ag unigedd, er bod eu llwybrau'n croesi ar adegau. Gellir cael nifer fawr o ffrindiau a bod yn unig.

Byddai Dad neu Hi'n honni ei bod yn bosib bod yn briod ac yn unig. Nid y *math* o berthynas neu *sawl* perthynas sydd gan rywun sy'n bwysig ond yn hytrach ei dyfnder a'i hagosatrwydd. Ond does dim gwadu bod unigrwydd yn gallu brathu a chnoi a phoeri rhywun allan yn gwbl ddi-hid. A does wybod ble na phryd y bydd rhywun yn teimlo'n unig. Stafell wely ganol nos, traeth ganol dydd, neu yn y meddwl – a hynny trwy'r dydd, bob dydd. Ond dechreuais gredu mai fi oedd yn bennaf gyfrifol am f'unigrwydd – ro'n i'n ail-wneud yr un camgymeriadau, yn bodoli ymhlith pobl fyddai ddim yn gallu rhoi i mi'r hyn ro'n i wirioneddol ei *angen*.

Ac roedd cau'n hun yn fy stafell wely, yn byw celwydd a chyfrinach, wedi bod yn fagwrfa berffaith i unigrwydd. Doedd dim rhaid imi feddwl am neb arall. Roedd gen i ryddid. Pe bawn i'n penderfynu do'n i ddim eisio siarad am ddau neu dri diwrnod, do'dd hynny ddim yn broblem. Neu pe bawn i'n mynnu peidio bwyta, do'dd neb yn gallu fy rhwystro. Yn wir, fyddai neb yn sylwi ar hynny nac yn malio dim amdanaf.

A gan fy mod wedi cael fy magu mewn byd unig, roeddwn yn ddi-ddysg mewn sgiliau emosiynol. Ac yn waeth na hynny, do'n i ddim wedi sylwi bod y sgiliau hynny ar goll. Gyda dim ond Hi a fi dan yr un to y rhelyw o'r amser – a'r ddwy ohonon ni'n byw hyd braich – do'n i ddim wedi arfer â byw'n normal gyda neb. Do'dd gen i'm syniad sut i gyfaddawdu. Do'dd gen i'm syniad sut i ddadlau (er ein bod yn cael ambell ffrae fflamychol), ac roedd anghytuno'n rhywbeth bygythiol, yn fy ngwneud yn wyllt fel matsien wrth golli'n limpin a gweiddi mewn chwinciad chwannen.

Dechreuais ddadansoddi'n hun. Nid merch dawel, heddychlon, isel ei hysbryd o'n i ond unigolyn gwallgof a oedd yn ceisio rheoli pawb a phopeth. Efallai, yn fy achos i, fod unigrwydd yn stigma, a minnau wedi teimlo erioed fy mod wedi cael fy ngwrthod gan gymdeithas. Neu 'mod i wedi *gwrthod* cymdeithas, oherwydd mae bod yn unig yn ddewis. Roedd gen i ofn cael fy mrifo, ac roedd hynny'n cael effaith ar fy mherthynas â phobl. Roedd gen i ofn cael fy ngwrthod ac felly'n cadw pawb yn ddigon pell er mwyn osgoi profi siom. Ac roedd aros yn blentyn am gyhyd â phosib yn golygu 'mod i'n osgoi cyfrifoldebau. Trwy fod yn blentyn ac wynebu unigrwydd ro'n i'n gallu dod i ddeall a charu'n hunan. A cheisio caru pobl eraill. Ac roedd fy nghyflwr yn rhoi cyfle i mi wneud hynny.

Dyna sut ro'n i'n teimlo pan alwodd Dad heibio un bore Sadwrn gwlyb. Galw i 'ngweld i wnaeth o, a Hi oedd wedi'i wahodd. Ond buan iawn y daeth hi'n amlwg ei fod wedi cael ei hudo yno fel pry diniwed i we pry cop. Clywais leisiau o'r gegin. Lleisiau uchel. Penderfynais eistedd ar ganol y grisiau a gwrando. Doedd unman ar y ddaear yn fwy unig y bore hwnnw. Dychmygais Dad yn eistedd wrth y bwrdd, Hithau gyda'i liniadur yn ei dwylo.

Hi: Drycha! Tects, ebyst, lluniau!

Dad: 'Da ti odw i, nage hi, wedyn pam 'yt ti'n becso? So hi'n fygythiad iti!

Hi? Mae yna 'hi' arall?

Dad: Dou sy yn y briodas hyn, a ti, *ti* wy'n garu.

Hi: Caru?! Be wyddost ti am garu?

Dad: Ffrind yw hi, 'na i gyd.

Oedd. Roedd 'hi' arall.

Hi: Dwi eisio gwbod popeth!

Dad: Sdim i'w weud, w!

Hi: Pwy yw hi?

Dad: Ffrind!

Roedd Dad yn benderfynol o lynu i'w stori.

Hi: Ble ma hi'n byw?

Dad: O's ots ble ma 'ddi'n byw?

Hi: BLE MA HI'N BYW?!

Dad: Gad dy laish lawr.

*Gyda'i gefn ar y rhaffau, meddyliodd amdana i, yn ofni rhoi loes i **mi**.*

Hi: Gobeithio dydi hi ddim yn byw'n agos i'r tŷ 'ma.

Byddai hynny'n halen ar y briw.

Dad: Dyw hi ddim.

Skypio Dad. Gwesty. Stafell wely. Llais dieithr. Ai honno oedd 'hi'?

Hi: Pwy ydy hi, be ydy 'i henw hi?'

Dad: Sdim ots pwy —

Hi: O'r gwaith, debyg. Cartref clyd y *cliché*!

Dad: So fe'n —

Hi: Be ma hi'n neud?

Dad: Plis, gad dy laish lawr, glywith Madi.

*Teimlais yn falch 'mod i'n rhan o'r ffrae **heb** fod yn rhan ohoni.*

Hi: Gad iddi glywed! Ma gynni hi hawl i ga'l gwbod sut ddyn yw 'i thad hi!

Dad: Paid neud hyn iddi, dim yn y cyflwr ma 'ddi.

Hi: Ac ers pryd wyt ti'n poeni am Madelyn?!

Ast! Mae Dad wastod wedi poeni a gofalu amdana i.

Hi: Ydy hi'n siapus? Yn ddel? Yn dena?

Dad: Ti wedi gweld llun ohoni, meddet ti!

Hi: Ers pryd? Pa mor aml dach chi'n —

Dad: Plis, paid â neud hyn i ti dy hunan.

Hi: Ydy hi'n dda yn y gwely? Ydy hi'n ffwc dda?!

Profiad od oedd ei chlywed Hi'n gofyn hynny.

Dad: Wyt ti'n —?

Mam: FAINT YDY EI HOED HI?!

Taflwyd y gliniadur yn erbyn wal y gegin a dechreuodd Hi lefain y glaw.

Dad: Paid â llefen, plis ...

Hi: Dos o ffycin 'ngolwg i!

Dad: Ond wy moyn —

Hi: ALLAN! O 'NHŶ I! RŴAN!

Clywais gadair y cael ei gwthio'n galed. Rhedais yn ôl i fy stafell a chau'r drws ar yr union bryd pan gaewyd y drws ffrynt. Cydiais yn Twpsyn, gorwedd yn *foetal* ar fy ngwely a sugno fy mawd. Ble roedd Llais?

'LLAAAAAIS?!'

Dyma pryd o'n i fwya ei hangen. Ro'n i angen clust i wrando ac i ddweud 'ie' neu 'na' neu ddim gair o gwbl, a hynny yn y mannau cywir.

Llais arall. Dyna oedd ei angen.

wal

Ym Mecsico a De America, yn y flwyddyn 250 CC, roedd siocled yn cael ei ddefnyddio fel arian. Mae 274 calori mewn Bounty, a 229 calori mewn Mars.

Do'n i ddim wedi eistedd ar ben y wal fach goncrid ers blynyddoedd, dim ers pan o'n i'n ifanc iawn ar fy ffordd o'r ysgol Sul. Byddwn yn eistedd yno ar ben fy hunan tra oedd Dad a Hi'n mân siarad ac yn ffarwelio â phobl ddilychwin ein cymdeithas – yn eu llygaid nhw, beth bynnag – sef selogion y capel. Roedd Dad yn aelod o'r Sêt Fawr, a Hi'n canu'r organ, y ddau'n felly'n chwarae eu rhan yn nhîm Duw. Ond daeth hynny i ben dros nos. Anodd dyfalu pam – Dad yn gweithio mwy a mwy dramor a Hi ddim eisio tywyllu'r lle hebddo, efallai. A phan arhosodd Hi adre ar y Sul, arhosais innau hefyd.

Ond ar adegau, roedd rhywbeth yn fy nhynnu'n ôl at gatiau'r capel ac at y wal fach goncrid. Atgofion am ddyddiau gwell, dyddiau pan oedd adar bach yn canu, blodau'n fôr o liwiau ar y perthi a synau cacwn yn hedfan yn eiddgar o un blodyn i'r llall. Ond dyna lle ro'n i, yn eistedd ar y wal fach yn pendroni a o'n i am fynd i mewn i'r capel ai peidio, nid i gael tröedigaeth ond i gael tawelwch a llonyddwch meddwl. A dyna i gyd. Dim mwy, dim llai.

Wrth agor y drws, atseiniodd sŵn y glicied trwy'r adeilad ac edrychais dros fy ysgwydd gan boeni fy mod wedi deffro'r meirw yn y fynwent flêr. Camais i mewn a cherdded i gyfeiriad y Sêt Fawr yn bwyllog, gydag ymdeimlad o barch. Roedd hi fel cerdded i mewn i fy arch fy hun – popeth yn bren – a'r arogl polish yn mygu'r ffroenau. Eisteddais dair rhes o'r blaen a chaeais fy llygaid. Dyna oedd y peth greddfol i'w wneud. Cau llygaid, ymlacio, a meddwl.

'Gwmrest ti dros ddwyawr i ddod i mewn 'ma.'

Agorais fy llygaid yn syth a throi i gyfeiriad y llais. Yn anghyffyrddus o agos, safai pwtan fach dew (angen colli o leia dair stôn) gyda gwallt bachgennaidd o fyr, ond gydag un o'r wynebau cynnes, agos-atoch-chi hynny a oedd fel pe bai'n gwenu'n barhaol. Gwisgai'n anarferol o gyffredin – crys-T a jîns – a dim ond darn o goler wen o gwmpas ei gwddwg yn awgrymu ei swyddogaeth yn y gymdeithas. Wyddwn i dim beth i'w ddweud wrthi. Cymryd anadl ddofn, efallai, a jest dweud yn ddiflewyn-ar-dafod:

'Dwi'n un o blant y diafol ei hun, a 'sgen i'm syniad be ffwc dwi'n da yma.'

Ond trwy lwc, roedd hi'n barod iawn i glosio ata i a thorri'r garw; rhan allweddol o'i swydd, mae'n debyg.

'Ma 'da fi gyfaddefiad.'

Pe bawn mewn Eglwys Gatholig, fi fyddai'r un yn cyfaddef.

'Wy wedi bo'n edrych 'not ti. Ishte ar y fainc tu fas, yn syllu i'r gwagle, i'r gofod mowr o dy flân. Dy lygaid yn wag, teimlo dim ond y dagre cynnes 'na o'dd yn llifo i lawr dy foch. Nunlle i fynd, neb i siarad 'da ti, dim i'w weud.'

Faswn i ddim yn llogi hon i ddiddanu plant mewn parti pen-blwydd!

Gwenodd unwaith eto. Roedd hi'n hoff iawn o wenu. Yn orhoff. Dywedodd Dad wrtha i beidio â thrystio dau fath o berson – un sy'n gwenu trwy'r adeg ac un sy'n eillio'n gam. Do'dd hon ddim yn eillio (hyd y gwyddwn!) ond penderfynais ei chadw hyd braich.

'Cofio rhywun arall yn dod trwy'r drws 'co unweth, teimlo'n gwmws 'run peth â ti. Dim syniad beth i'w neud 'da'i hunan, 'da'i bywyd ... cyn penderfynu taw 'da Fe ... neu Hi ... o'n i fod. Trist, so ti'n meddwl?'

Doedd gen i ddim mo'r awydd na'r egni i gynnal trafodaeth gall.

'Ddois i ddim yma i gael pregeth,' atebais yn gwrtais.

'Ddrwg 'da fi dy siomi di ond so ti'n mynd i ga'l un. Dim os nag 'yt ti *moyn* un, wrth reswm. 'Na'n jobyn i, t'wel. 'Na'r alwad fowr geso i pwy ddiwrnod ... wrth byrnu *pizza* yn Sainsburys. Ei ddilyn ... Ei dilyn ... ei Air E neu Hi ... neu rhyw bolycs fel'ny!'

Glywais i hynna'n iawn? Ddeudodd hi 'bolycs'?! Nid 'mod i'n gul nac yn biwritanaidd – i'r gwrthwyneb – ond cefais sioc a syndod o'i chlywed yn defnyddio'r gair hwnnw. A dyna'n amlwg oedd yr ymateb roedd hi'n ei ddisgwyl oherwydd mi wenodd eto.

Pwy yw deintydd hon?

'Shh, ein cyfrinach ni'n dwy,' meddai, fel pe bawn ni'n rhannu rhyw gyfrinach fawr a fyddai'n newid cwrs y byd. Siŵr ei bod hi'n dweud hyn wrth bawb dieithr a ddeuai trwy'r drws, ei sgript bwrpasol wedi'i pharatoi a'i hymarfer yn drwyadl dros gyfnod hir.

'Dwi'm yn gwbod pam dwi yma.'Sgen i'm syniad, mwy na thwrch daear at yr haul.' (Dyna roedd Dad bob amser yn ei ddweud.)

'Anffyddwraig?'

'Balch.'

'Allwn ni gyd ddim bod yn berffeth, t'wel,' eglurodd, cyn estyn ei llaw fechan, ddifodrwyog. 'Tracy. *Parch* ... edig Tracy,' gan bwysleisio'r 'parch'.

Roedd hon yn amlwg yn saer geiriau.

'Ro'dd ofan 'da ti ga'l dy fwrw 'da mellten pan gerddest ti trwy'r drws 'co.'

'Oedd.'

'Ti'n un o'r rhai lwcus. Ond bydden i'n garcus yffernol wrth gerdded mas!' meddai'n ysgafn.

Roedd ei gwenu'n dechrau mynd dan fy nghroen.

'Synnet ti faint o anghredinwyr sy'n dod trwy'r drws 'na. Ffaith bo' ti ddim yn credu mewn duw ... duwie ... ddim yn golygu bo' ti ddim yn credu yn y *syniad* o grefydd, t'wel.'

Os oedd un frawddeg wedi'n gosod ni'n dwy ar yr un dudalen, honno oedd hi.

'Mae sawl "anffyddiwr balch" yn dod mewn 'ma. Rhai nawr ac yn y man, rhai'n rheoledd. Joio'r emyne, y gerddorieth, yr harmoni rhwng pobl – yr undod sy'n 'u glynu nhw at ei gilydd.'

Mae sgript hon yn gwella.

'Man hyn hefyd yn ddihangfa oddi wrth y byd a bywyd bob dydd. Swyddi diflas, pwyse gwaith, perthnase ... *teulu.*'

Didoli gair unwaith yn rhagor er mwyn pwyslais. Creodd hynny ryw fath o ddealltwriaeth rhyngom.

'Cyfle i eistedd lawr mewn tawelwch ... meddwl ... gweld pethe o ongl wahanol. *A* chyfle i wrondo arno i'n pregethu, wrth gwrs!

So nhw'n cytuno 'da popeth wy'n weud, cofia – so rhai o' nhw'n cytuno â *dim* wy'n weud, ond so 'nna'n golygu bo' nhw ddim yn *grondo* 'no i ... grondo ar 'yn farn a'n sylwade ar ... ar y wyrth yffernol hyn sy o'n cwmpas ni.'

Teimlais ei bod hi'n nesáu at ffin y bregeth.

'Wy'n dy edmygu di,' meddai.

'Pam?'

'Am fod yn anffyddwraig. Am ryddhau dy feddwl, am brisio honiade a syniade trwy ymresymu, yn hytrach na dilyn traddodiad a bod yn forwyn fach i lais y mwyafrif.'

Os o'n i'n anffyddwraig falch *cyn* dod i'r capel, ro'n i'n sicr yn un nawr!

'Ydy o'n wir,' gofynnais yn hyderus, 'bod rhywun mewn capel neu eglwys byth mwy na chwe throedfedd oddi wrth ragrithiwr?'

Gyda'i minlliw coch, lledodd gwên y Parchedig Tracy yn fwy nag erioed ar draws ei hwyneb.

'Falle.'

Edrychais o'm cwmpas. Daeth y gorffennol yn ôl fel planced glyd.

'O'n i ... o'n ni'n arfer dod yma'n rheolaidd, fel teulu. Dad yn flaenor. Wedyn mi gafodd swydd arall a ...'

Codais fy ysgwyddau.

'Ac o'dd rhywbeth yn cadw dy fam mas?'

'Ac i mewn.' Aeth yr eironi dros ei phen hi ac i mewn i fy mhen innau.

'Ma'r pethe hyn yn digwydd.'

Edrychais i gyfeiriad y Sêt Fawr a'r pulpud. Yno yr oedd Crist yn gwaedu ar y groes, a'r sudd betys yn llifo o'i ddwylo.

'Oedd o'n edrych fel'na go iawn?'

'O's ots shwt o'dd e'n edrych, gwed?

'Dim braster. Dim gwastraff. Corff perffaith.'

'*Six pack*. Mynd i'r *gym* yn Nasareth deirgwaith yr wythnos, sbo. A bwyta'n iach. Byw ar fara a physgod, yn ôl Mathew, ond troi'r dŵr yn win yn ôl Ioan. Fydd e byth *yn poster boy* i *Alcoholics Anonymous*!'

Fy nhro i oedd gwenu. Trueni doedd y Parchedig Tracy ddim yr un oed â mi; gallai fod wedi bod yn ffrind.

'Wna i fod yn ofalus wrth fynd allan,' dywedais yn gellweirus, cyn codi a chychwyn cerdded yn araf am y drws. Ond wrth i mi godi'r glicied, gwaeddodd ar f'ôl.

'Cyfathrebu. Cwestiynu. Cael atebion. Dyna sy raid iti neud, Madi, os nad wyt ti moyn dod yn ôl 'ma.'

Oedais. Edrychais dros fy ysgwydd. Doedd dim golwg ohoni.

Cerddais trwy'r drws a'i gau'n bwyllog ar fy ôl.

atebion

Popcorn oedd y bwyd cyntaf i'w gynhesu mewn meicrodon. Mae 375 calori mewn 100 gram.

Roedd hedyn wedi'i blannu. Seibiais wrth basio heibio'r lolfa a syllu arni. Yr un oedd y llun yn ffrâm ei bywyd dibwrpas. Sedd wrth y ffenest a gwydraid mawr o win gwyn yn gysur yn ei llaw.

Does bosib mai dyma *yw* Hi. Rhaid bod mwy na hyn iddi? Rhaid bod rhywbeth yn mynd ymlaen yn ei phen, rhyw wybodaeth wedi'i chaethiwo ac yn ysu i gael ei thraed yn rhydd o gyffion ei gorffennol? Roedd y tawelwch yn boenus, a'r bwlch rhyngon ni'n annioddefol o agos a phell ar yr un pryd.

'Ma gen ti rywbeth i'w ddeud 'tha i.'

Roeddwn yn hanner disgwyl, yn *gobeithio*, am ymateb pendant – rhyw gliw, rhyw arwydd 'mod i wedi taro'r hoelen ar ei phen, wedi procio'i chydwybod neu ei hisymwybod.

'Wyt ti'n 'nghlywed i? Wyt ti'n gwrando arna i?!'

Ni symudodd yr un fodfedd.

Mor oer â chaead arch. Fel delw fyw.

Rhoddais ochenaid fewnol dawel, cyn cychwyn am y grisiau.

'Pryd. Dwi wedi paratoi pryd i ni. Dim pannas.'

Trodd ei phen ac am y tro cynta ers rhai blynyddoedd roedd arlliw o gysgod gwên ar ei gwefusau. Gwên nerfus. Cymerais fantais o'r cyfle.

'Ma gen ti rywbeth i'w ddeud 'tha i. Dwi'n clywed. A dwi'n gwrando.'

Llowciodd gegiad o'i gwydraid cyn i'w llaw grynedig ei osod yn bwrpasol wrth ymyl y botel wag. Syllodd yn syth yn ei blaen fel pe bai mewn perlewyg. Ac mi *wnes* i wrando. Ar bob brawddeg. Ar bob gair. Ar bob sill.

'Ro'dd o'n cysylltu efo hi pan o't ti'n dod o'r groth,' meddai'n dawel. 'Gwbod amdani ers sbel, ond do'dd o ddim yn gwbod 'mod i'n gwbod. Cymryd dyn gofalus a chlefer i chwarae'r ffon ddwyblyg.'

Mae pobl yn mynd yn ôl i'r dechrau pan maen nhw'n teimlo bod pethau'n dod i'r diwedd.

Edrychais arni mewn penbleth.

'Ro'dd o'n cael cawod. Gadawodd ei ffôn ar y gwely. Gwelais enwau dieithr, rhifau dieithr. Ffoniais yr un amlycaf, a chael ateb.'

Estynnodd am ei gwydryn gwin i leddfu'r boen.

'Methu cysgu, bwyta ... fy nhu mewn i'n cael ei glymu wrth ddychmygu'r ddau efo'i gilydd. Ro'dd gen i ddewis – deud wrtho 'mod i'n gwbod y cwbl ac ella'i golli o ... a dy golli di ... neu cau fy ngheg yn dynn, rhoi digon o raff iddyn nhw grogi'u hunain.'

Yfodd y gwin ar ei ben cyn anwesu'r gwydr gwag.

'Un noson, benderfynish drafod y peth. Rhoi ti'n dy wely, cau pob drws yn dynn rhag ofn iti glywed, a gofyn iddo ddod am sgwrs i fan'ma, i'r stafell fyw. Pan dwi'n deud "gofyn", efallai mai "hudo" wnes i achos ro'n i wedi cuddio cyllell fara dan y glustog 'cw.'

Do'n i erioed wedi sylwi llawer ar y glustog o'r blaen.

'Dyna lle steddodd o, am dros awr, cyn cyfadde – yn ddigon onest, chwarae teg iddo – nad hi oedd y gynta ... na'r ola.'

Seibiodd. Roedd surni yn ei llais.

'Rhestr hir ohonyn nhw, mynd yn ôl ymhell *cyn* i ni briodi. Ei go' yn gatalog o gelwyddau. Ro'n i'n gafael yn y glustog pan ofynnodd imi faddau iddo. Nid hwnnw oedd y tro cynta iddo neud hynny.'

Trodd i edrych arna i.

'Rhywbeth reit pathetig mewn dyn sy'n gofyn am faddeuant, Madelyn.'

Tydi hyn ddim fod yn wir. Nid hwn oedd Dad, fy nhad i. Celwydd noeth oedd ei stori, ymgais i bardduo'i enw er mwyn cael fy nghydymdeimlad a 'nghefnogaeth.

Gadewais iddi fwrw'i bol, dweud mwy o gelwyddau er mwyn casglu mwy o fwledi i danio'n ôl ati.

'Cymerais funud i ystyried y peth, mynd i eistedd ger ei ymyl, a deud wrtho 'mod i *yn* maddau iddo, cyn agor botymau top fy mlows.'

Slwt.

'Dyna'r eiliad ro'n i eisio iddo ddeud "Wy'n dy garu di"; 'sa hynny wedi bod yn rheswm i mi estyn y gyllell a ...'

Syrthiodd gordd ar fy mhen.

Roedd Hi wedi bod o fewn eiliad i ladd, i lofruddio Dad?!

'Ond yn anffodus, ddeudodd o'm gair o'i ben, yr un sill, dim ond syllu arna i a wylo'n dawel, fel mae dynion yn gallu ei neud ... pan ma nhw'n euog.'

Ochneidiodd, a gwenu'n drist.

'Codais o'r soffa a mynd i neud paned. Dim ond i mi'n hun. Gorweddodd y gyllell dan y glustog am ddyddiau. Jest rhag ofn.'

Rhag ofn?!

Hoeliais fy llygaid unwaith yn rhagor ar y glustog ddiniwed.

'Wnaeth o'm newid. Difaru weithiau, Madelyn, na wnes i'm iwsio'r gyllell pan ges i'r cyfle.'

Syllais arni, heb wybod sut i ymateb na beth i'w ddweud. Roedd Hi eisio i mi ei chredu ond do'n i ddim *eisio* ei chredu. Ai'r dyn yna oedd Dad? Ai hon oedd Hi? Pwy oedd y ddau fu'n byw dan yr un to â mi? Pwy oedd y ddau oedd wedi fy hanner magu?

'*Pwy ffwc ydy'r bobl 'ma?!*' sgrechiodd Llais.

Troais ar fy sawdl, rhedeg i fyny'r grisiau a thyrchu dan y gwely ac yn y droriau am ddau becyn o greision (368 cal), un paced o

McVities Double Chocolate Digestives (18 bisged = 1,494 cal) a bar o siocled (533 cal), cyn eu claddu y tu mewn i mi.

Ro'n i angen cysur. A rheolaeth.

rhywbeth ar goll

Mae llyfu lolipop yn llosgi 25 calori.

Ar ôl gwledda ar gynnwys y cypyrddau a'r oergell ...

'Ast dew!'

... penderfynais ffonio Dad. Ro'n i angen iddo gadarnhau ei chelwyddau Hi, a hynny yn ei hwyneb. Do'dd ganddi ddim hawl i greu storïau amdano, gadael i'w dychymyg grwydro a'i drin fel baw y tu ôl i'w gefn. Gwrthododd drafod y mater ar y ffôn – yn amlwg wedi'i gythruddo – ond cytunodd i alw draw i'r tŷ – ei gartref – y diwrnod canlynol.

Cyrhaeddodd ryw ugain munud yn hwyr, yn ôl ei arfer.

'Mae 'da ni'r Cymry hawl i fod yn hwyr i bob achlysur,' arferai ddweud. 'Mae o'n rhan o'n hetifeddiaeth ni! Os ti moyn dechre nosweth am wyth, gwed 'thon nhw bo' hi'n dechre am saith!'

Aeth yn syth ati Hi i'r stafell fyw. Clywais drafodaeth dawel cyn cael y gwahoddiad i ymuno â nhw.

'Madi? Dere lawr 'ma am funed. Ni moyn gweud rhywbeth 'thot ti.'

Fi oedd i fod i ddweud rhywbeth wrtho fo, os nad oedd Hi'n bwriadu cyfadde. Edrychais arnaf fy hun yn y drych.

'Ti'n edrych yn dew,' meddai Llais, o gornel dywyll.

'Diolch,' atebais yn siomedig, cyn rhoi gorchymyn iddi gadw draw o'r sgwrs a oedd ar fin digwydd lawr grisiau. Cytunodd Llais, ar hyd ei thin mawr.

Yn y stafell fyw, safai'r ddau'n od o ffurfiol, fel cwpwl mewn llun priodas. Yn y saib o dawelwch, daeth rhyw don o ansicrwydd drosta i. Roedd rhywbeth ar dro, ond wyddwn i ddim beth.

'Ishte.'

Awgrymodd fy mod i'n eistedd wrth y glustog ... *y* glustog. Cymerais gipolwg cynnil tu ôl iddi, rhag ofn!

'Ma fe'n wir.'

Tri gair aeth fel saeth yn syth i'r galon.

'Ma be'n wir?'

'Beth wedodd dy fam. Ma fe'n wir. Pob gair. Ddrwg 'da fi.'

Amau'r gwir, clywed y gwir, a derbyn y gwir. A'r olaf yn gam anodd.

'Dwi'n gwbod,' atebais. Celwydd yn aml yw'r llwybr at y gwir.

'Wyt. Wyt, wrth gwrs bo' ti'n gwbod.'

Ond gwyddai o'r gorau fy mod wedi cael fy magu dan garreg ar hyd fy oes.

'Ro'n i'n arfer bod yn ŵr a thad da ... gonest ... am flynydde ... ond fe newidodd pethe,' meddai, gan giledrych arni Hi. 'A'th rhywbeth ar goll. A fe newides i.'

'Ro'dd gynnon ni briodas *dda*,' pwysleisiodd Hi.

'O'dd. Ti'n iawn. *O'dd* 'da ni. A fe gyniges i fynd. Ond gwrthodest ti.'

Gwelais anghrediniaeth yn ei hwyneb.

'Sut alli di neud hyn i mi?' erfyniodd Hi. 'Sut *alli* di?!' Cyn troi ei sylw ata i. 'Sut alli *di* neud hyn i mi?!'

Fi? Be o'n i wedi neud iddi erioed?!

'O'dd *rhaid* i ni ddod i gytundeb,' eglurodd Dad, cyn troi ati Hi i'w hatgoffa. 'Dod i drefniant.'

'Trefniant?! Pa blydi drefniant? "So fe'n mynd i ddigwydd 'to! Wy'n addo! Wnei di fadde i mi?"' dynwaredodd Hi, cyn egluro, 'Ond mynd yn ôl ati *hi* bob tro. Hi!'

Rhaid iti wadu'r peth, Dad. Paid â'n siomi i!

'O'dd hi'n siarad 'da fi, yn gwrando, yn 'y *neall* i ...'

'Dy ddeall di?!' Dy ffycin *ddeall di*?!' meddai Hi, wedi'i chythruddo gan yr hen ystrydeb briodasol.

'Shwt allen i droi'n gefen ar rywun o'dd yn rhoi cefnogeth, cyffro ... *rhyw* i mi ... pethe wy ddim wedi brofi gatre ers i ni ... ers iddo fe ...'

Saib hir. Sobreiddiwyd y sgwrs. Gwaeddodd lleisiau'r pen:

'*Fe?*'

'*Pwy* "fe"?'

'*Pwy ydy* "fe"?'

'*Am bwy* "fe" ma nhw'n sôn?'

'Paid ti â meiddio!' sibrydodd Hi'n fygythiol, gan bwyntio bys cyhuddgar yn ei wyneb. 'PAID. TI. Â. **MEIDDIO.**'

Roedd y gair 'DIFARU' wedi'i sgrifennu'n glir ar ei dalcen.

'Ti'n 'y nghlywed i? Ti'n gwrando arna i? Paid ti â *meiddio*.'

Pe bai'n focsiwr, byddai ar ei gefn ar y cynfas a Hithau'n sefyll yn fuddugoliaethus uwch ei ben.

'Os oedd gynnon ni unrhyw "gytundeb", unrhyw "drefniant" ers i ni ...'

Nid am y tro cynta, teimlais fy mod ar gyrion y sgwrs a ddim yn rhan ohoni. Daeth ymyl y dibyn yn nes, a'r awydd i neidio mor gryf nag erioed.

'*Ers i ni* beth?'

Trodd ei phen ac edrych trwy'r ffenest.

'ERS IDDO FE BETH?!'

Edrychodd Dad arna i fel pe bawn yn ddrychiolaeth. Roedd ei ferch fach wedi cyrraedd pen ei thennyn.

'WEL?!'

Euogrwydd mud. Un yn claddu ei ben yn ei ddwylo a'r llall yn eistedd i lawr yn araf. Edrychodd arni Hi.

'Ti sy'n ffaelu mynd mas trwy'r drws 'co,' dywedodd yn dawel, deimladwy. 'Nage fi.'

Roedd ei llygaid yn llonydd a gwag.

'Paratoadau i gyd wedi'u gneud. Nyrseri wedi'i phaentio. Y cot yn y gornel. Monitar. Saith mis a hanner. Dau gant, tri deg ... a saith ... o ddiwrnodau.'

Nyrseri? Cot?

'Agor fy llygaid y bore hwnnw, a sylwi doedd o'm yn symud.'
Fo. Eto.

Edrychais ar Dad. Edrychodd yntau i ffwrdd.

'Bath poeth. Dau beint o ddŵr oer. Twb o hufen iâ ond ... dim cic. Ro'dd fy ngreddf, fy natur yn deud pethau negyddol wrtha i, ond y fam ynddo i'n *mynnu* 'mod i'n rong. Ro'n i'n *rong – rhaid* fy mod i'n rong – nid fel hyn oedd petha i fod!'

Na. Nid fel hyn **oedd** *pethau i fod.*

'Sgan. Chwilio am guriad. *Un* curiad. Rho *un* curiad o obaith imi, damia chdi!'

Cododd Dad ei ben ac edrych arna i, cyn gosod ei law yn dyner ar ei hysgwydd, a'i gwasgu.

'Rhoi dwy floedd o waelod ein Bod ... cyn i'r nyrsus afael ynddo a'i olchi ... mewn pwced. Pwced! A gadael y 'sbyty'n wag. Yn wag iawn.'

Trodd ei phen, a syllu arna i fel pe bai geiriau'n bethau gwael ac annigonol.

'Mae colli *un* yn uffern, Madelyn. Mi fyddai colli dau yn ...'

Llifodd y dagrau'n araf i lawr ei gruddiau, cyn diferu o'i gên fel diferion o dap yn gollwng. Rhoddodd Dad ei fraich o'i chwmpas a'i hanwesu. Am y tro cynta erioed, do'n i ddim yn eiddigeddus ohoni.

'Dere, awn ni am wac,' meddai'n dawel. 'I ben y stryd. At gat y fynwent. Neith awyr iach ... neith e fyd o les iti.' Edrychodd arnaf. 'I ni i gyd.'

Cododd o'i chadair fel pe bai newydd gael damwain car, cyn iddo'i thywys gan bwyll bach o'r stafell.

'Deud rhywbeth wrthi,' awgrymodd Llais.

'Deud be? Be *alla* i ddeud?'

'Rhywbeth. *Unrhyw* beth.'

Ni allwn yngan yr un gair. Oedodd wrth y drws.

'Ac o't ti'n meddwl bo' 'da *ti* gyfrinach, Madelyn.'

Cilwenodd yn gynnes, gydymdeimladol.

Deud rhywbeth! Unrhyw beth, jest —

'Mam?!'

Oedodd, heb edrych yn ôl.

'Mam ... MAM!'

Yr eiliad honno, trodd y plentyn yn oedolyn, a'r oedolyn yn

fam. Rhoddodd nod fechan o gydnabyddiaeth ac o obaith, cyn ystumio wrth Dad ei bod yn barod i symud ymlaen. Caeodd y drws ar eu holau.

Clustfeiniais yn astud. Roedd y tap yn y stafell ymolchi wedi rhoi'r gorau i ddiferu.

cacen hufen

Mae darn o gacen siocled 64 gram, gyda hufen, yn cynnwys 235 calori. A dyma lle rydw i. Yn eistedd ar ben fy hunan wrth y bwrdd bwyd. Ar ei ganol, mae cacen siocled wedi'i haddurno â hufen. Mae hi'n ddarn o gacen unigryw ond nid yw'n fwy nac yn llai, ddim yn well nac yn waeth, na chacen unrhyw un arall. Cacen felys, berffaith yw hi, un sydd wedi bod ar y bwrdd o'r diwrnod y cefais fy ngeni, yn 'lwmpen'.

Yr unig beth sy'n rhaid imi wneud yw ei bwyta hi.